MICHELANGELO

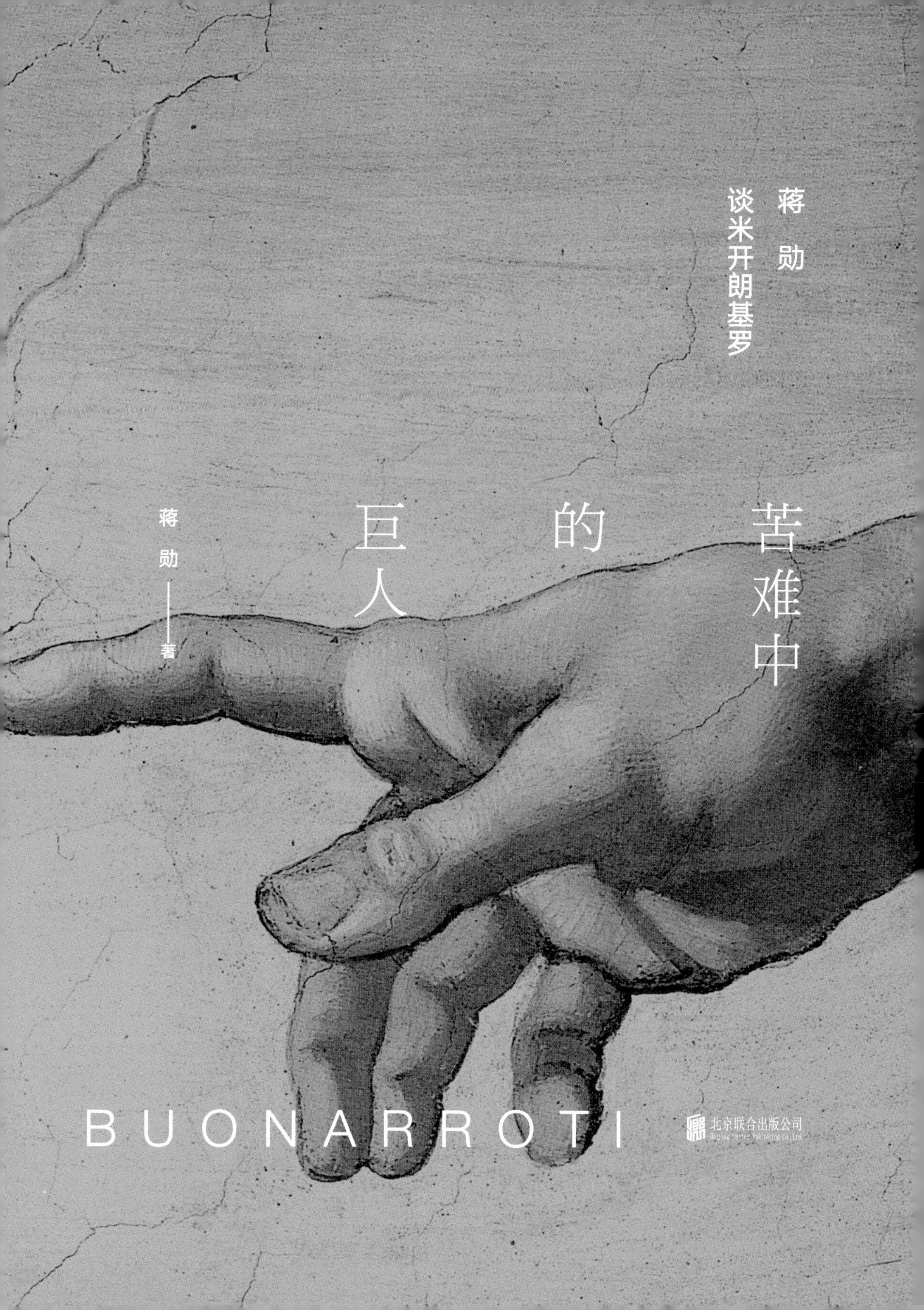
蒋勋
谈米开朗基罗
苦难中的巨人
蒋勋——著
BUONARROTI
北京联合出版公司
Beijing United Publishing Co.,Ltd

目录 CONTENTS

作者序　为美落泪

第一部

米开朗基罗之谜

002　《创世纪》壁画
009　人皮签名
010　竞图
011　大卫的手
012　异端之爱
013　垂死的表情
014　中央九段壁画
017　七位先知和五位女祭司
020　四幅角落图的故事
021　赤裸男体

第二部

蒋勋现场

026　梵蒂冈《哀悼基督》
028　战斗
030　酒神
032　大卫
036　垂死的奴隶
038　摩西
044　洛伦佐之墓
047　四件《囚》
050　佛罗伦萨《哀悼基督》
054　米兰《哀悼基督》

目录 CONTENTS

第三部

米开朗基罗

060 Michel，Angelo，米开，天使
065 奶妈是石匠的妻子
068 最早的学习与基兰达约
071 马萨乔的影响
074 伟大的洛伦佐
077 鼻子被打碎
080 最早的作品
085 《战斗》与新柏拉图哲学
090 《阶梯圣母》与基督信仰
094 关于萨伏那洛拉
098 酒神
101 伟大杰作——哀悼基督
109 大卫——破石而出
121 对手相遇——达芬奇与米开朗基罗
134 陵墓悲剧

137 拉奥孔与圣马太
141 西斯廷礼拜堂湿壁画
145 创世纪
152 湿壁画
155 人的初始与犯罪
164 灾难与救赎
173 囚——人的限制
181 肉体奴役——四件杰作
188 日与夜，黎明与黄昏
202 异端之爱
213 最后的审判
224 圣彼得圆顶
242 最后的《哀悼基督》

242 **附录 年表**
258 **附录 重要作品列表**

作者序

为美落泪

大约在一九七三年，为了研究意大利文艺复兴的艺术，我第一次去了意大利。

从巴黎出发，一路搭便车，经过阿尔卑斯山，第一站就到了米兰。

身上只有两件换洗的 T 恤，一条牛仔裤，投宿在青年民宿，有时候青年民宿也客满，就睡教堂或火车站。

随身比较重要的东西是一本笔记。

在巴黎翻了很多书，对意大利文艺复兴史料的了解有一个基础。因此，我刻意不带书，搭便车，四处为家的流浪，也不适合带太多书。

我因此有机会完全直接面对一件作品，没有史料，没有评论，没有考证。

作品直接在你面前，“美”这么具体，这么真实。

载我到米兰的意大利人住威尼斯，邀我一同去威尼斯，我坚持要到米兰。

到米兰已经是夜里十点，他把我放在高速公路边，指着一大片灯火辉煌的城市说："那就是米兰。"

我背起背包，走下高速公路，一路吹着口哨。

遇到一个南斯拉夫的工人，也在找青年流浪之家，就相约一起找路。他问我："为什么来米兰？"

我说："看达芬奇《最后的晚餐》！"

他看着我，好像我说的是神话。

第二天早晨我就站在《最后的晚餐》的壁画前面。教堂很暗，看不太清楚，又有很多鹰架，有人攀爬在架子上，用一些仪器测试，有时候照明的灯亮起来，一块墙壁忽然色彩夺目起来，好像五百年前的魂魄忽然复活了。

一个鹰架上的中年女人走下来，坐在鹰架最下一层，倒了咖啡，缓缓品尝。安静的教堂里没有人，她看到我，我正做笔记，她问："这是中文？"我说："是！"

"很美丽的文字！"她说。

她是挪威人，从大学退休了，受联合国教科文组织聘请，参与《最后的晚餐》

的修复工作。

“我只负责一小部分。”她指着鹰架上端的一块墙壁，是刚才照明灯照着，忽然灿烂起来的那一米见方的区域。

“真美，不是吗？”她好像在独白，回头看着那笼罩在灰暗中其实看不清楚的一大片墙壁。

我的笔记上写的常常是这些故事，严肃的艺术史家大概不屑一顾的。

米兰的史佛萨古堡有米开朗基罗最后一件《哀悼基督》，他在临终前几日还在雕刻的作品。两个人体紧紧依靠在一起，好像受了很多苦，忽然解脱了，依靠着一起飞去。

古堡里没有人，我独自坐在《哀悼基督》前，想到米开朗基罗一些美丽的诗句，歌颂死亡，觉得死亡这么安静，像辽阔的大海。

我好像听到声音，铁的凿刀敲打在岩石上的声音，石片碎裂的声音，一个男人喘息的声音……

作品像在呼吸，你不站在它面前，不知道它是会呼吸的。

史料与考证不会告诉我们“美”是一种呼吸。

我一直记得那么真实的作品呼吸的声音。

三十年后，那呼吸的声音还在，更清晰，也更具体。

“美”不是知识，“美”是一种存在的真实。

我到了佛罗伦萨，在达芬奇与米开朗基罗每一日擦肩而过的窄小街道，仿佛听到他们孤独的脚步渐行渐远。

我去了美术学院，看到许多游客拥挤在俊美非凡的《大卫》四周，我想避开人潮，就独自坐在一角，凝视米开朗基罗中年以后四件命名为《囚》的作品。

那呼吸的声音又响了起来，粗重的、压抑的，努力存活在剧痛与狂喜中的呼吸的声音。

看过多少次图片都没有的感觉，刹那之间，那呼吸的声音使你震动起来。

我流泪了吗?

一个老年人，忽然递过手帕，拍拍我的肩膀，微笑着跟我说：“我二十五岁的时候，也在这里哭过！”

我的笔记里也许记了一些无足轻重的事，像一个陌生老人回忆起二十五岁的泪痕。

三十多年后动手写米开朗基罗，有许多笔记里的片段浮现出来。我害怕自己衰老了，老到不会为“美”落泪。

一再重复去意大利，觉得好多角落都有自己年轻时遗落在那里的记忆，特别是关于米开朗基罗的记忆。

只是我没有想到，三十年后我会把笔记里的点点滴滴一一书写下来。

要谢谢怡蓁，不是她的鼓励，也许这本书不会这么快出现。

也谢谢大哥蒋震、大姐蒋安，以及我的弟弟、妹妹一家人，他们使我在温哥华有安静的环境整理这本书。

二○○六年八月二十八日飞台北途中

蒋勋

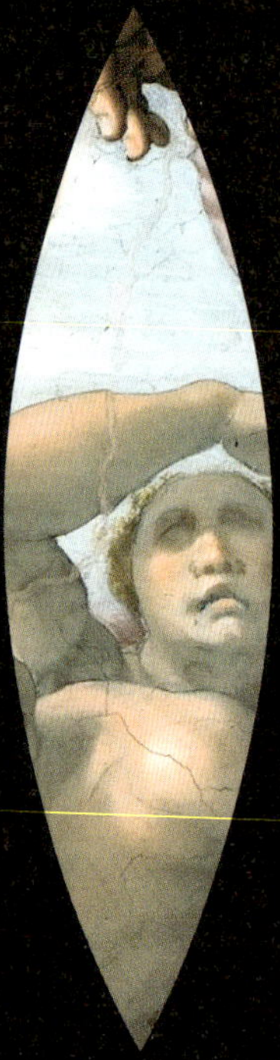

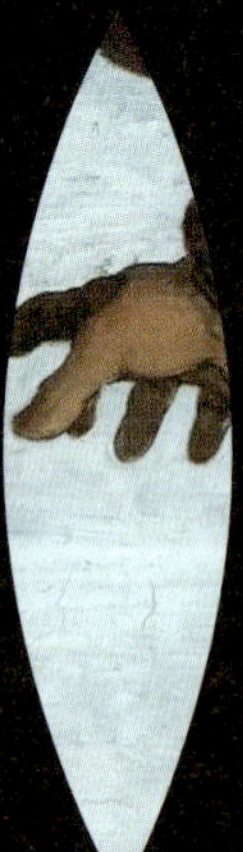

Puzzles

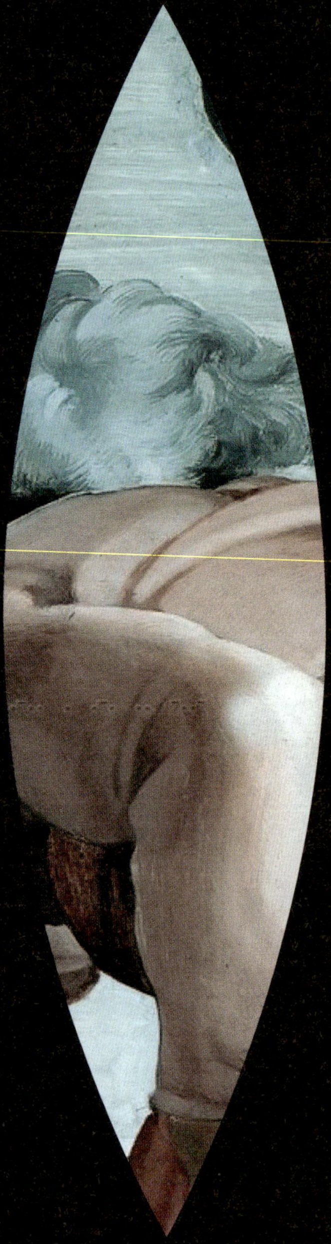

第一部

米开朗基罗之谜

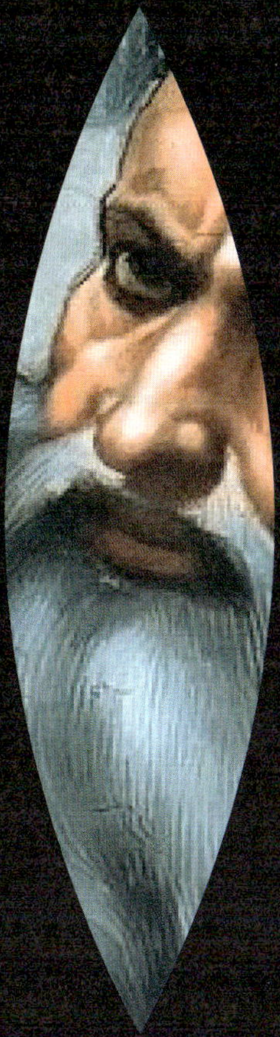

1.《创世纪》壁画

米开朗基罗在**梵蒂冈西斯廷礼拜堂**的屋顶湿壁画《创世纪》，
你能够找出下列图像吗？

九幅创世纪的故事　四幅角落图　四幅角落图上端的一对裸像　八幅边图

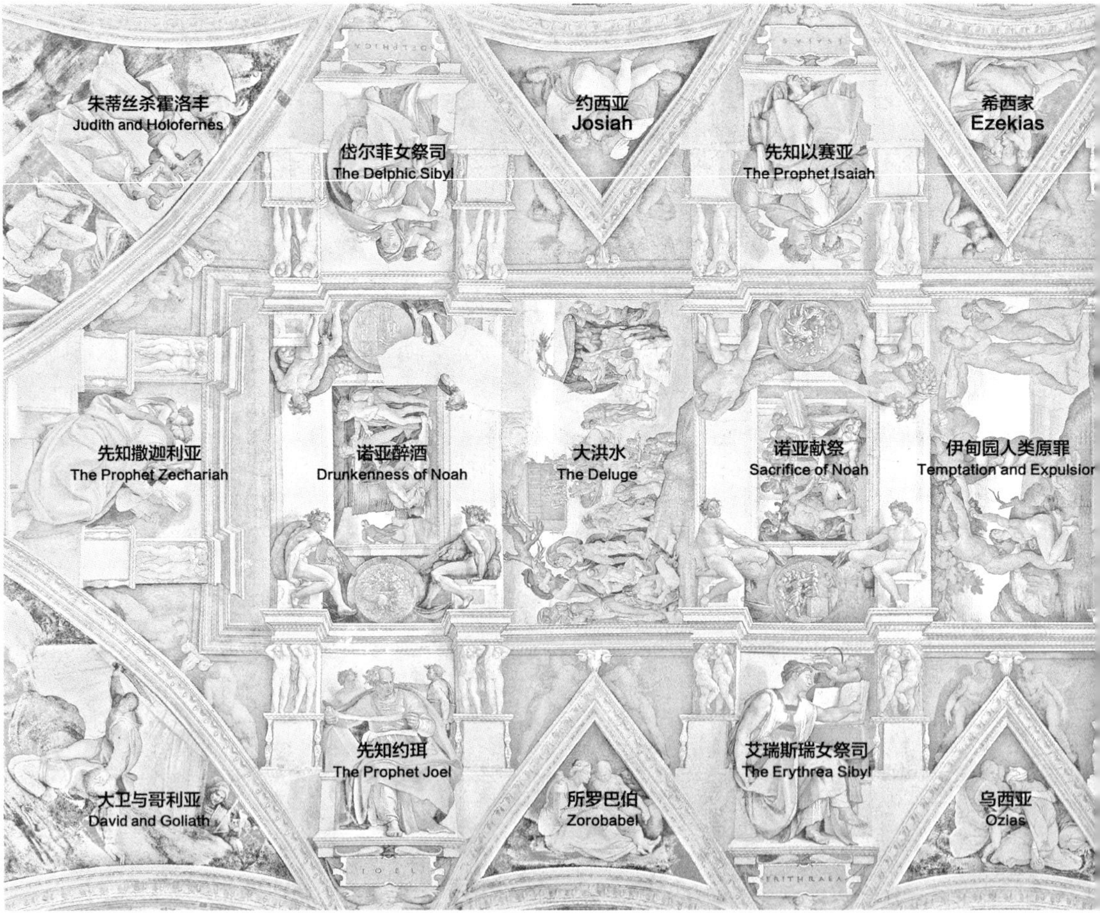

八幅边图上端的一对裸像　七位先知　五位女祭司　二十位 ignudi 裸男　十幅大图饰章　四十八位天使

DELPHICA
IOEL
ZACHERIAS

ESAIAS
ERITHRAEA

CVMAEA
EZECHIEL

2. 人皮签名

《最后的审判》，米开朗基罗把自己画成一张剥成**空荡荡的皮**，悬在荒凉的**天界与地狱之间**。这是历史上创作者最奇特、最伟大的签名方式。

3. 竞图

相差了二十三岁的**达芬奇**与**米开朗基罗**，
他们都知道对手是历史上唯一的劲敌。

那年，他们被共同委托创作佛罗伦萨是市政议事大厅的**巨幅战役图**。
两人的草图都展出了，

许多人认为年轻的米开朗基罗，在这一次竞赛中**赢过了达芬奇**。
这两幅竞图，暂不署名，请你来评分。

你能猜出**哪一幅**是达芬奇、哪一幅是米开朗基罗的吗？

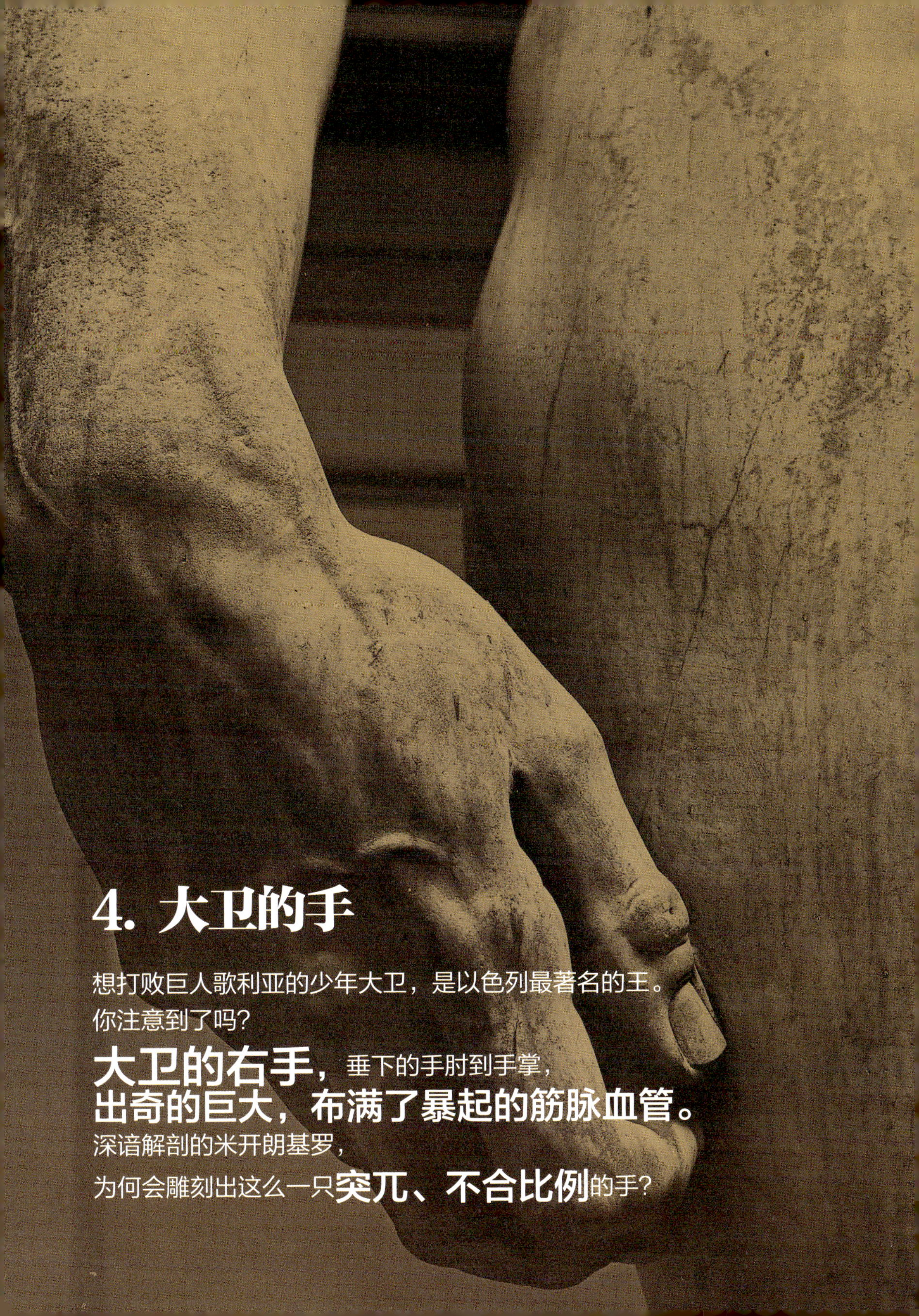

4. 大卫的手

想打败巨人歌利亚的少年大卫，是以色列最著名的王。

你注意到了吗？

大卫的右手，垂下的手肘到手掌，
出奇的巨大，布满了暴起的筋脉血管。

深谙解剖的米开朗基罗，

为何会雕刻出这么一只**突兀、不合比例**的手？

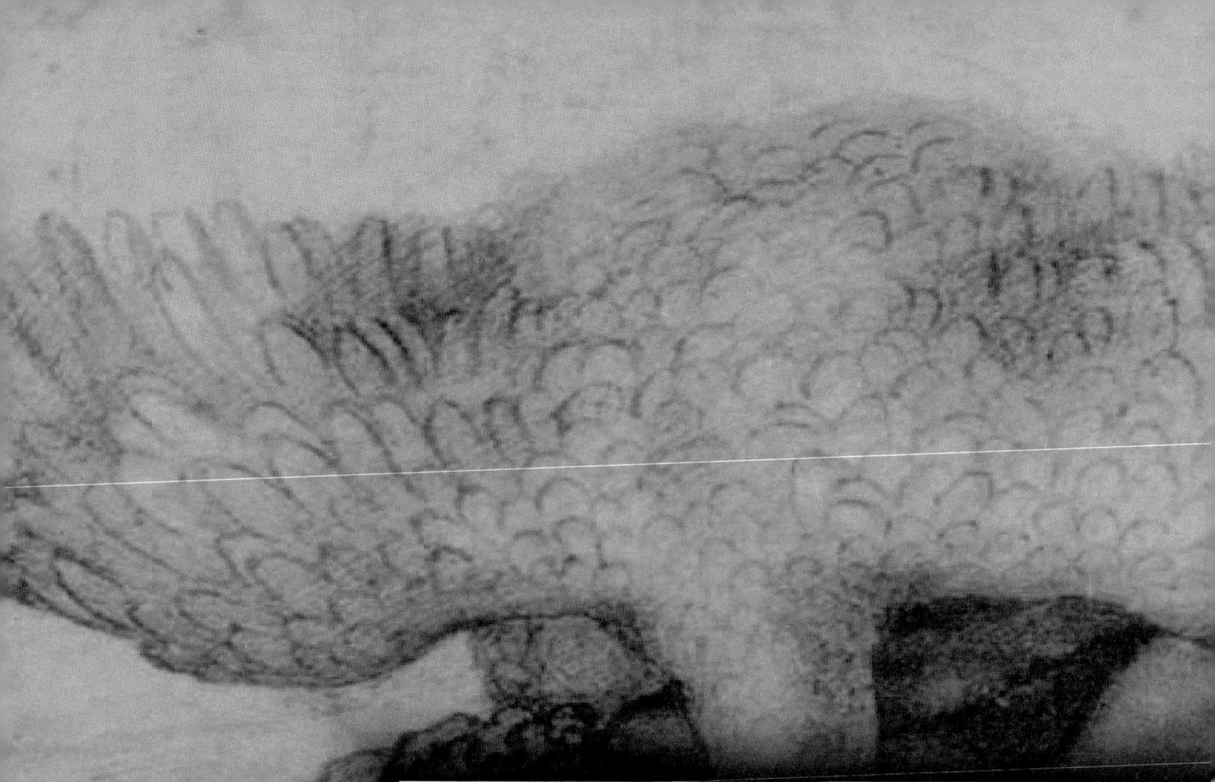

5. 异端之爱

一只秃鹰飞来，瞪视美丽的少年肉体，
这肉体是美好的食物，这肉体将撕裂，嚼成碎片。
米开朗基罗在画作中使自己幻化成秃鹰，也幻化成被鹰啄食的少年，
他的爱情世界，究竟**隐藏**着什么**秘密**？

6. 垂死的表情

这是**垂死的囚犯**吗？
他用手触摸自己的肉体，仿佛陶醉在临终前的愉悦里。
死亡会不会是**释放自由**的过程？
米开朗基罗在作品**里思索着什么**？

中央九段壁画

西斯廷礼拜堂天篷壁画的九个段落，交错以“小”“大”的长方形出现。一共是四个“大”画面，五个“小”画面。

四个大画面分别是：“创造星球”“创造亚当”“伊甸园人类原罪”与“大洪水”。

五个小画面则分别是：“宇宙初开”“创造海与陆地”“创造夏娃”“诺亚献祭”与“诺亚醉酒”。

在五个小画面的四角，米开朗基罗分别安排四个巨大裸男身体，呈现出二十个，一共五组姿态各异的赤裸男性肉体，在巨大的天篷上似乎比原有的宗教主题更震撼人的视觉。

这些不具备主题意义的赤裸男体，仿佛还原到生命的原始本质，他们脱离了宗教，脱离了故事，脱离了一切外在的形式联想，他们才是米开朗基罗试图歌颂与表现的赤裸裸的“人”的存在。

以“创造海与陆地”这一壁画四角的人体来看，呈现了四种极端不同的情绪，一手拉着徽章饰带的人体，手舞足蹈，似乎要从座位上腾跃而起，充满了动力，充满了生命的欢悦。与他相对的另一个男体则似乎背负着重大的压力，手臂伸向后背，仿佛犹负着我们看不见的负担，眼睛忧虑地看着我们。

角落的另一端，一个人体双脚并拢，看似宁静地坐着，却在他脸上流露出些许不安。

与他对面的人体肌肉纠结，整个上身向后倾斜，背部绷起紧张的一块块肌肉，他面孔是侧面的，眼睛的瞳孔却似乎窥看着我们，生命的焦虑与惊慌在这个赤裸的人体身上达到极度高亢的情绪。

九段天篷壁画阐述着宇宙的初始，阐述着人的创造，生命的沉沦与灾难，交错在不同形态的裸体人像之间，米开朗基罗诉说的不再是基督教圣经的故事，而是还原到了最本质的“人”的故事。

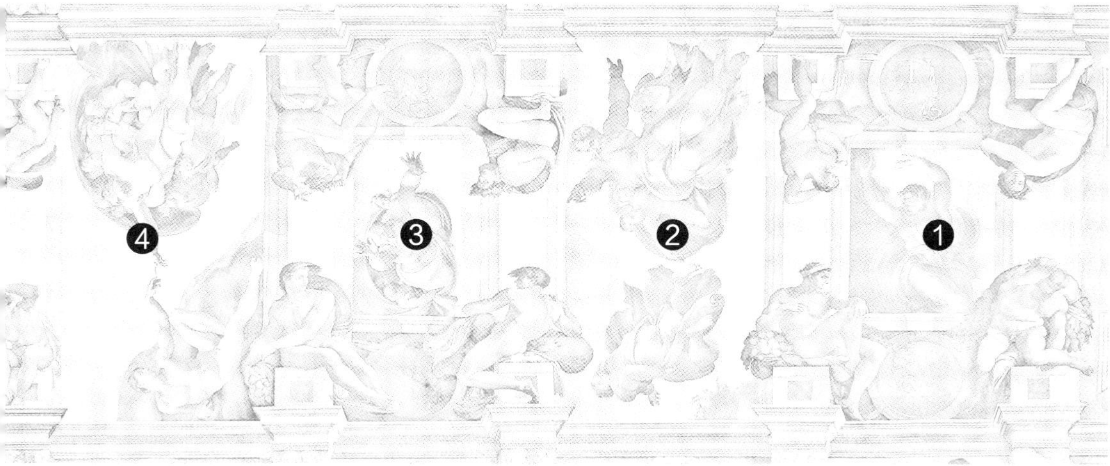

1. 宇宙初开

Separation of Light from Darkness

神说：要有光！就有了光。
神看光是好的，就把光暗分开了。
神称光为“昼”，称暗为“夜”。
有早晨，有晚上，这是头一日。

2. 创造星球

Creation of Sun, Moon, Plants

神说：天上要有光体，
可以分昼夜，作记号，
定节令、日子、年岁。
并要发光在空中，普照在地上。
于是，神造了两个大光，
大的管昼，小的管夜，
又造众星，就把这些光摆列在天空，
普照在地上。

3. 创造海与陆地

Separation of Land from Waters

神说：天下的水要聚在一处，
使旱地露出。
神称旱地为地，
称水的聚处为海。
神造出空气，
将空气以上的水、空气以下的水分开，
神称空气为天。

4. 创造亚当

Creation of Adam

神用地上的尘土造人，
将生气吹在他鼻孔里，
他就成了有灵的活人，名叫亚当。

5. 创造夏娃

Creation of Eve

神使亚当沉睡，取下他一条肋骨，
用肋骨造成一个女人。

6. 伊甸园人类原罪

Temptation and Expulsion

女人对蛇说：
伊甸园中树上的果子我们可以吃，
唯有园子当中那棵树上的果子，
神曾说：你们不可吃，也不可摸。

7. 诺亚献祭

Sacrifice of Noah

诺亚是个义人，
在当时的时代是个完全人，
诺亚与神同行。

8. 大洪水

The Deluge

神观看世界，见是败坏了。
神就对诺亚说：我要把他们一并毁灭。
你要用木造一只方舟。
我要使洪水泛滥在地上，毁灭天下。
凡有血肉的活物，
每样两个，一公一母，
你要带进方舟，好在那里保全生命。

9. 诺亚醉酒

Drunkenness of Noah

诺亚作起农夫来，
栽了一个葡萄园。
他喝了园中的酒，便醉了。
在帐篷里赤裸着身子。

七位先知和五位女祭司

西斯廷礼拜堂天篷壁画，多采取旧约的主题。

西方基督教信仰，以耶稣传道为主题的新约，倾向人性化的爱。相反的，古老希伯来民族的旧约更多宇宙创世之初的神话。

旧约像是混沌世界最早的故事，充满非理性的巨大力量，好像在茫昧不清的时间与空间里，宇宙开始有了光，有了生命，有了最初的骚动。

米开朗基罗对旧约的神秘充满了兴趣，他感觉到那个传布信仰的岁月，那些念着咒语的祭司与先知，他们是“巫”，说着人类似懂非懂的话语。

他们是“神”与“人”之间的沟通者，他们翻阅着巨大的秘密的时间之书，偶然透露给人间一点讯号。

先知似乎是要预告未来，然而先知的言语又往往被误解。

米开朗基罗把自己画成了第一位先知“耶利米”。

1. 先知耶利米

The Prophet Jeremiah

旧约里留下了许多先知耶利米的预言，
也留下了“耶利米哀歌”。
耶利米一手支撑着下巴，好像忧虑发愁，
俯看着人世间的芸芸众生。
耶利米看到：
“黄金失去了光亮，圣殿的石柱倒塌”，
他是先知，他看到的是无法挽回的毁灭与虚空。
米开朗基罗是耶利米，
他看着生命被创造，也看到毁坏无常。
（旧约《耶利米书》）

2. 先知约拿

The Prophet Jonah

作为先知，约拿常常想逃避先知的角色，
他乘船逃避神的指令，遇到狂风暴雨，
被丢进海中，被大鱼吞到腹中，三日三夜，
然而他一抬头，听到了神的召唤。

3. 利比亚女祭司

The Libyan Sibyl

双手捧着巨大的时间之书，
好像要从神的手上承接命运的预告，
极其优雅美丽的转身动作，
米开朗基罗以精细的素描，
练习女祭司背部与双手的肌肉细节。

4. 先知但以理

The Prophet Daniel

先知但以理曾经阅读神的书，
知道耶路撒冷将要荒芜七十年。
穿着蓝衣的但以理，
好像刚阅读完神的预告，无限忧愁，
也无限悲悯地从书中文句的沉重转开眼神。

5. 古梅恩女祭司

The Cumaean Sibyl

身躯巨大壮硕的女祭司
忧虑地阅读着神的告示，
她手臂的粗壮夸张的力量，
超越了人的理性，
米开朗基罗正是以超现实的方法
带领人进入旧约的神秘与恐怖领域。

6. 先知以赛亚

The Prophet Isaiah

旧约里记录
先知以赛亚预告的语句多达六十六章。
以赛亚穿着红袍，绿色披风。
他合起书卷，抬头远看，
他看到的似乎都是神的惩罚，
他看到的都是生命陷于灾难，
“像一阵冰雹，像毁灭的暴风，
像涨溢的大水，神必用手将冠冕摔落地上”。

7. 特尔菲女祭司

The Delphic Sibyl

特尔菲是希腊古代
祀奉太阳神的圣殿所在之处，
米开朗基罗大胆地以异教的祭司
混入基督信仰之中，
女祭司手持长卷，转头凝视，
她看见了未来一切，然而人类是看不见的。

8. 先知撒迦利亚

The Prophet Zecharlah

撒迦利亚黄衣绿裙，
白色浓密的长胡须。
他正专心看着神的预言。
《撒迦利亚书》中说：
“我看见一飞行的书卷，
长二十肘，宽十肘。
神说：这是发出行在遍地上的咒诅……”

9. 先知约珥

The Prophet Joel

约珥紫色长袍、红色披风，
他双手拉开书卷，正仔细阅读。
《约珥书》中记录他看到的神的预言：
田荒凉！地悲哀！
因为五谷毁坏，新酒干竭，油也缺乏。
你们要哀号，大麦与小麦，
与田间的庄稼，尽都消灭。

10. 艾瑞斯瑞女祭司

The Erythrea Sibyl

有点像优雅有教养的少年，
侧身而坐，
左手翻阅书卷，
一旁有小童为她点燃照明的灯。

11. 先知以西结

The Prophet Ezekiel

以西结戴白帽，满腮白胡须，
蓝色围巾，红色长袍。
他好像惊慌地看到了什么，
《以西结书》中预告神的话：
你们吃饭必胆战心惊，
喝水必惶惶忧虑。

12. 波斯女祭司

The Persian Sibyl

包裹着头巾，侧面，
双手捧着书，
正在全神贯注，
仿佛要努力参透神告知的命运。

四幅角落图的故事

1. 哈曼之死

The Death of Haman

旧约里《以斯帖记》有哈曼的故事，
他想陷害王后以斯帖的族人，
钉了五丈高的木质刑架，却被王后先发制人，
报告国王，哈曼因此被钉死在自制的刑架上。
米开朗基罗在这件作品中
表现了对人体极度大胆的扭曲，
哈曼在酷刑死亡之中，却又像是狂喜中的舞蹈。

2. 摩西与铜蛇

Moses and the Serpent of Brass

旧约《民数记》阐述有火蛇使万民陷入灾难，
摩西在手杖上制铜蛇，
平抚了万民之苦。
米开朗基罗以古希腊"拉奥孔"风格的
人体扭曲表现人在惊恐痛苦中的肉体表情。

3. 犹滴杀何乐弗尼

Judith and Holofernes

古希伯来民族传说何乐弗尼残暴凶猛，
无人可以制服，
最后由美女犹滴以美色诱惑，
在欢爱之后，趁何乐弗尼熟睡，
斩杀了他，并砍下他的头，
用盘子盛装带走，
床上躺着何乐弗尼无头的肉体。

4. 大卫与歌利亚

David and Goliath

旧约《撒母耳记》中一再阐述
古代以色列少年之王大卫
"面色光红，双目清秀，容貌俊美"，
他以少年的英勇，打败了巨人歌利亚，
把歌利亚按在地上，正在举刀要斩下他的头。

赤裸男体

米开朗基罗在西斯廷礼拜堂的天篷壁画中最动人的作品可能不是“创世纪”本身的九段故事，也可能不是与旧约有直接关系的先知或以色列祖先的列王像。

米开朗基罗在《创世纪》壁画中切入了五组共二十个巨大的男体裸像，从高度十九米的下方抬头仰望，这二十个完全赤裸的男体以各种不同的姿态表情构成米开朗基罗绘画“宇宙”野心的真正主题。

有学者称赞这二十件赤裸男性肉体是这一组壁画中的“希腊悲剧歌咏队的合唱”。

我们在现场，抬头仰望，一具一具顽强的肉体，以各自不同的方式，对抗时间，对抗空间，对抗命运中的惩罚与灾难。他们欢欣或忧伤，宁静或惊慌，圣洁或沉沦，共同组织成米开朗基罗的生命美学，也与米开朗基罗的雕刻中的“囚”有了一致的风格呼应。

这些肉体有些欢欣踊跃，在狂喜的巅峰；这些肉体有些承担不可知的沉重命运的压力，沮丧却又顽强；这些肉体有时仿佛看到未知的毁灭，眼瞳中透露出恐惧与惊慌，这些肉体，书写了生命最本质的状态，构成天篷上人类命运的交响诗！

第二部

蒋勋

现场

Scenes

梵蒂冈《哀悼基督》

1498—1500

高 68 厘米，宽 76 厘米，厚 27 厘米

梵蒂冈圣彼得大教堂

米开朗基罗二十三岁的作品。纯净的大理石，金字塔形稳定古典的造型结构。

如果《哀悼基督》是崇高的死亡，米开朗基罗剔除了世俗表现死亡里的强烈情绪。他使死亡变得崇高而圣洁。

两个依靠在一起的身体，应该是母亲怀抱着儿子的尸体。可是，“母亲”这么年轻，优雅，美丽；青春的眉宇之间隐约一点点淡淡的忧愁。她俯看着一个赤裸的身体，好像在说：你们看啊！这么美丽的生命……

美丽的生命是什么？是为信仰活着的生命，是为信仰死亡的生命。

男子的身体如此年轻，好像离死亡还很遥远。他只是在沉睡，安详宁静地沉睡在自己的信仰之中，没有疑虑，也没有痛苦。

在基督教的典故里，“哀悼基督”是母亲对儿子殉道受苦的悲痛，但是，米开朗基罗二十三岁，他太年轻了，他迷恋青春的美，他迷恋一种介于肉体与精神之间的爱。

这两个身体依靠着，像一对最亲密的恋人，米开朗基罗用刀、斧、凿去抚摸一块岩石，这么轻柔纤细的爱抚，使整个岩石颤动了起来，岩石有了心跳，有了呼吸。

战斗

1491—1492
84×90 厘米
佛罗伦萨米开朗基罗之家

米开朗基罗一四九二年完成的作品，当时他只有十七岁。

他阅读了希腊神话，读到一种半人半马的野兽的战斗，他冥想着神话世界里人类最初的生存。

人好像刚刚脱离兽的阶段，人，好像还纠缠着许多动物的本质。

“战斗”因此不只是向外的对抗，而是人与自己内在挣扎拉扯的力量。

在 35 厘米左右接近正方的石板上，米开朗基罗以凹凸起伏变化很大的深雕方式表现出人体堆叠的力量。

这是米开朗基罗独特美学的第一次展现。

肉体与肉体重叠牵连，波涛起伏，好像汹涌澎湃的大海，好像惊涛骇浪。

肉体在挣扎，对抗，肉体奋起或匍倒，肉体欢悦或沮丧，重重叠叠，构成气势磅礴的交响诗的巨大结构。

十七岁，米开朗基罗已经决定用人的肉体阐述生命存在的一切意义。

酒神

1496—1497
高 200 厘米
佛罗伦萨巴杰罗美术馆

在基督教的主流传统中，希腊酒神是纵欲狂欢之神，他总是喝得醺醺然，醉意酩酊，头额上挂满一串串酿酒的葡萄，手里擎着酒杯，步履蹒跚，好像醉得连步伐都踩不稳。

酒神旁边也常陪伴着半羊半人的森林精灵，偷食着葡萄，露出动物性的贪婪表情。

德国哲学家尼采认为希腊神话中的酒神代表一种非理性的力量。

“非理性”往往比“理性”更强，更具备直接的感官创造，许多文明的创造需要“非理性”来突破僵化的局限。

基督教信仰用理性束缚压抑了人的感官本能，米开朗基罗刚过二十岁，他体会到一种从身体本能要爆发开来的一种狂热的创造力，这种狂热，不是来自思维，而是来自生命底层感官的悸动。

他不顾教会禁忌，创造了《酒神》，创造了歌颂青春、肉体、叛逆、欲望的年轻神祇的典范。

在一个感官与爱欲备受压抑的时代，他的《酒神》大胆宣告一种肉身的背叛。

大卫

1501—1504
高 409 厘米
佛罗伦萨美术学院

一五〇〇年，米开朗基罗刚过二十五岁，他的故乡佛罗伦萨要在市政厅广场置放一件雕像，这件雕像要代表城市的青春、自由、正义与完美的追求。

米开朗基罗面对着一块巨大的岩石，纯白色，洁净，没有瑕疵，如此完美。

他看着石块，好像要把自己年轻的生命热情贯注进这块石头。他说：“‘大卫’已经在里面了，我把多余的部分去掉就好了。”

一五〇四年，《大卫》完成了。

一个俊美、勇敢、挑战邪恶，独立而且自主的年轻生命。

他凝视着远方，凝视着重大的灾难，他不逃避，他全神贯注，凝视自己生命的对手。

这件作品树立在城市广场数百年之久，鼓舞所有年轻的生命要如此面对自我，要如此承担责任，要如此挑战一切的难度。

《大卫》标志着一个城市伟大的历史，这个城市，人口不到十万，但是有达芬奇，有米开朗基罗，有许许多多敢于挑战生命难度的历史精英。

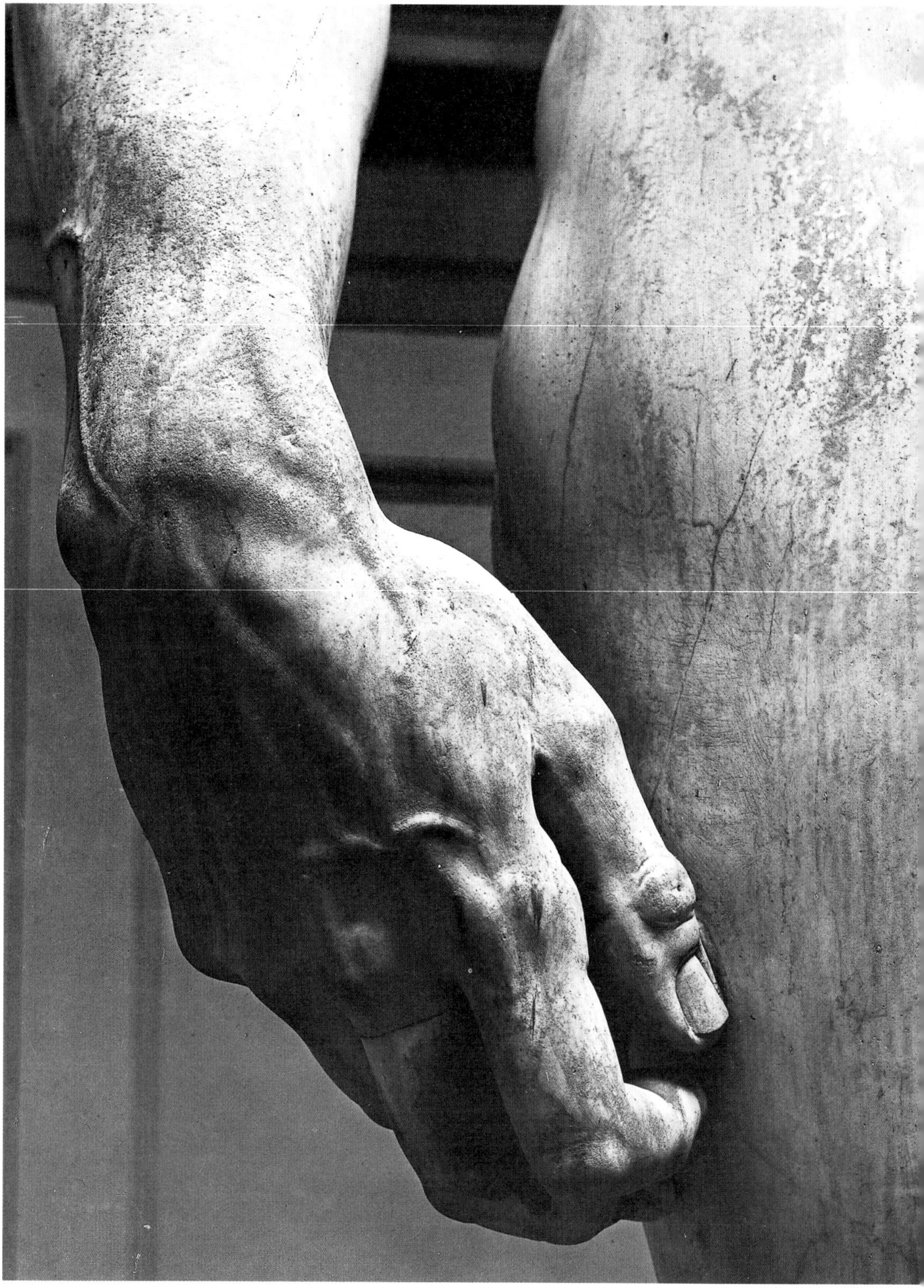

站着的《大卫》将重心移到右腿，让右腿支撑全身。跨步而弯曲的左腿以及略显挤压的左脚暗示动作即将来临……

垂死的奴隶

1513

高229厘米

巴黎卢浮宫

被后人称为《奴隶》或《囚犯》的系列创作，都是以一个单一男体做各种不同姿势。

这系列作品可能是米开朗基罗中年时期对生命的一连串思考。

“奴隶”是什么？“囚犯”是什么？

人可能是自己的奴隶，人也可能是自己的囚犯。

我们的肉体禁錮着渴望自由的心灵，人是不自由的，人常常处在做自己的奴隶与自己的囚犯的状态。

人可能更自由吗？死亡会不会是释放自由的过程？

米开朗基罗在作品里思索着复杂的哲学命题。

他使垂死者仿佛陶醉在临终前的愉悦里，他用手触摸自己的肉体，这将要告别的肉体，仿佛刹那间有了新的意义。

没有死亡在前面，生命是不懂得爱自己的肉身的。

这件《垂死的奴隶》使死亡变成一种令人窒息的自溺。

摩西

1515

高 235 厘米

罗马圣彼得镣铐教堂

在罗马圣彼得镣铐教堂，摩西像是整个教皇朱利叶斯二世陵墓的一部分。

陵墓在阴暗的教堂，这个教堂传说是圣彼得被囚禁的地方，祭坛上悬挂着传说是两千年前锁过圣彼得的铁链。

当然，一切都是传说。

米开朗基罗却使传说里的摩西变得非常具体。

摩西是犹太民族的领袖、先知，他头上长角，目光炯炯，他在西奈山接受神颁布的十诫，他带领流亡的子民出走，辟开红海……

米开朗基罗使基督教传说的先知变成肉体上可以承担伟大事业的领袖。

摩西不再是老年的长老，他手臂的肌肉使人相信他可以扛起巨大沉重的十诫石板，他鬈曲翻动在胸前的长髯，使人相信他可以凭借超人的意志使红海的波涛分出一条路来。

米开朗基罗四十岁了，他过了歌颂单纯青春肉体的年龄，他在摩西像里放进了成熟的中年生命深沉稳练的智慧与定力。

洛伦佐之墓

1519—1534

佛罗伦萨美第奇家族陵墓

米开朗基罗为美第奇家族设计的洛伦佐之墓是他集合建筑、雕刻、空间布局最完整的作品。

建筑与雕刻不再是分离不相关的元素，建筑与雕刻紧密结合成一个完整的哲学理念。

在建筑单纯的龛、拱之间，好像一个一个空间，等待生命出现，或生命已经走了，成为一个空着的龛。当然，当生命暂时存在，就有一具肉身坐在龛中。

洛伦佐坐在龛中，低头沉思；他的脚下正是自己的石棺。上面是生存的形式，下面是死亡。

生与死，在时间的两端中移动。

我们面对这陵墓，右手边是“黎明”，一尊躺卧的女体，仿佛正从长久的睡眠中苏醒，左手边是一低头沉思的男体，面容朦胧，已是“黄昏”的光，暧昧不明。

生与死，黎明与黄昏，米开朗基罗使贵族一贯只懂得夸耀权力财富的陵墓，借着他的设计，转换成对“生”与“死”的沉重思考。

米开朗基罗的艺术，其实是一页哲学。

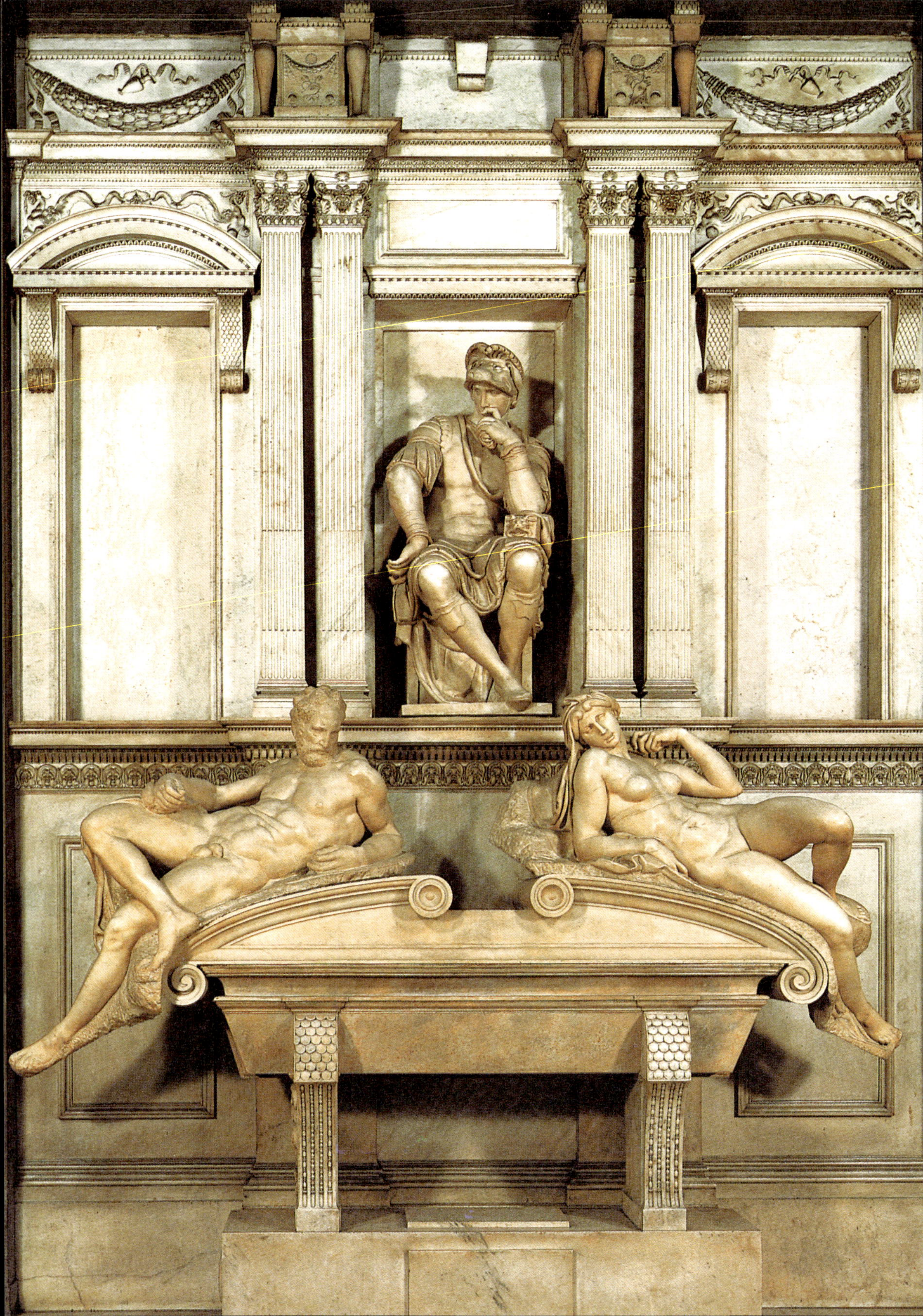

四件《囚》

1523
高 263 厘米
佛罗伦萨美术学院

过了五十岁，米开朗基罗对人体的思考有了更深沉的变化。

他几乎完全放弃了“精雕细凿”的技法，他对别人赞美的技术上的精致细腻已经不满足了，他开始大刀阔斧在岩石上劈出粗犷混沌的造型。

我们隐约看到一个人形，一个正在酝酿的人形，我们都还没有完成自己，生命像宇宙之初的粗胚，慢慢在找寻自己的形貌、五官、姿态。

米开朗基罗改写了雕刻的历史，他使雕刻不再只是“结果”，而是一种时间延续的过程。我们在粗犷略具人的形状的岩石上看到斧、凿的痕迹，斑斑驳驳，我们看到所有生命在形成过程中伤痕累累的记忆。

米开朗基罗不再歌颂单纯的美丽，在饱经生命的困顿之后，他更倾向于歌颂生命对抗一切凝聚的力量。

这一组作品一直留在他身边，没有出售，没有展览，只是陪伴着他孤独的老年，一直到临终。似乎大部分人无法理解这时的米开朗基罗，他们常在这四件作品上加上“未完成”的标签。

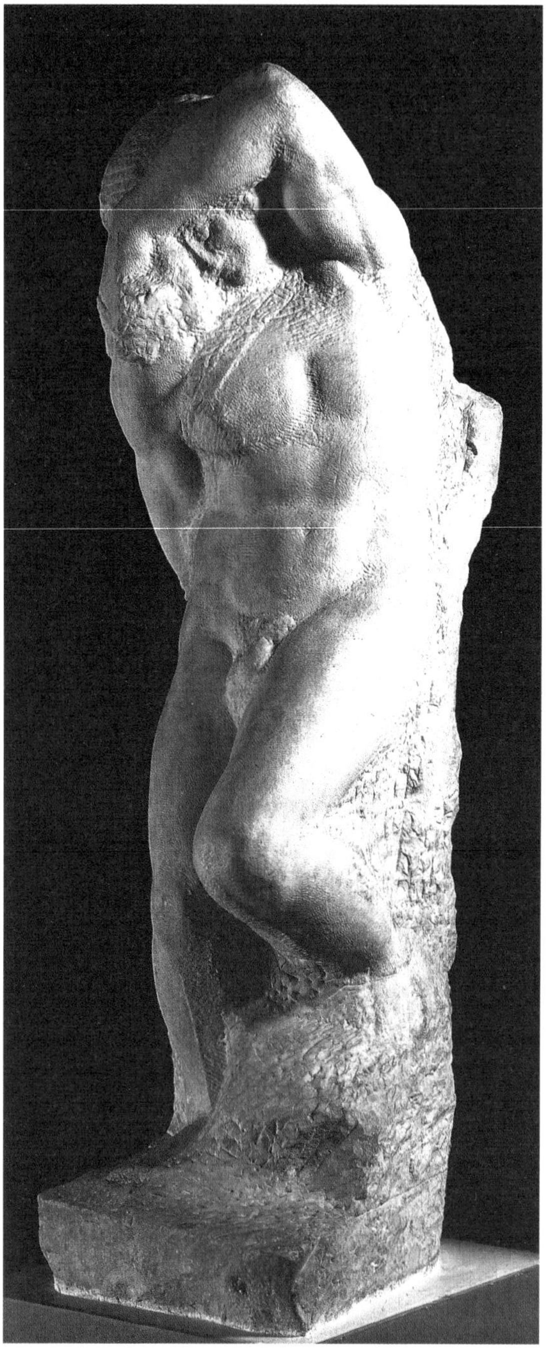

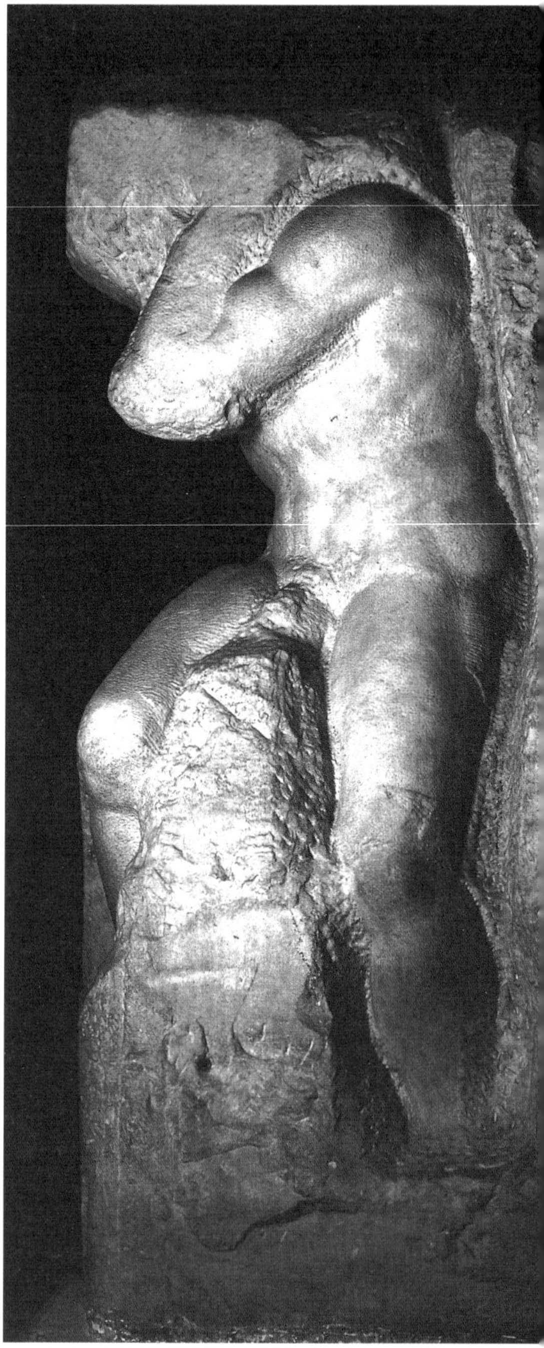

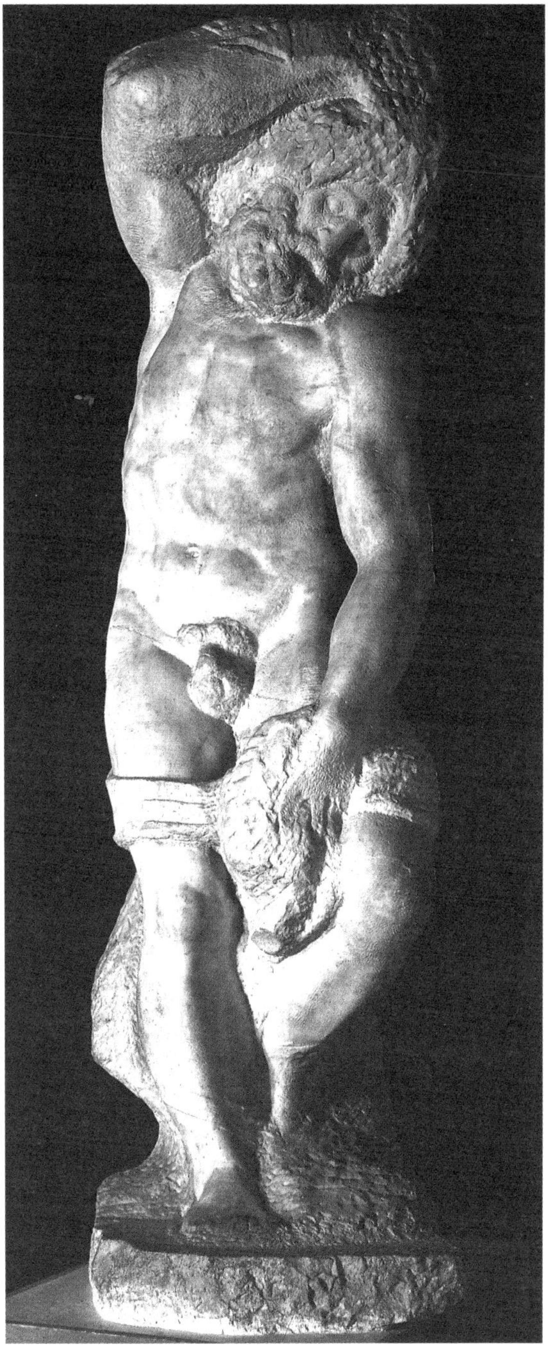

佛罗伦萨《哀悼基督》

1555

高 226.1 厘米，宽 123 厘米

佛罗伦萨大教堂博物馆

大概在米开朗基罗七十五岁前后，他雕刻了这件《哀悼基督》。

他应该记得自己在超过五十年前也雕刻了一件《哀悼基督》。那个时候他只有二十三岁，年轻，充满了对生命的憧憬。

如今五十年过去了，五十年可能在一个人的身上镂刻下多少痕迹？

他重新思考了“哀悼基督”这一主题，一个尸体从十字架上卸下，母亲在一边，用手搀扶着，用脸颊紧紧贴着尸体的头部。

母亲的脸像是被泪水模糊了，只草草刻了一个轮廓。

尸体的重量完全往下压，头垂倒在一边，腿支撑不住上身的重量，无论两旁的人如何努力支持，尸体是注定要垮下来的，死亡的重量没有人可以承担。

米开朗基罗用五十年的时间修正了他年轻时对“哀悼基督”的看法。

许多人觉得这是他准备置放在自己墓地上的最后作品，上面的男子也很像他的自塑像，高高凝望着自己的死亡。

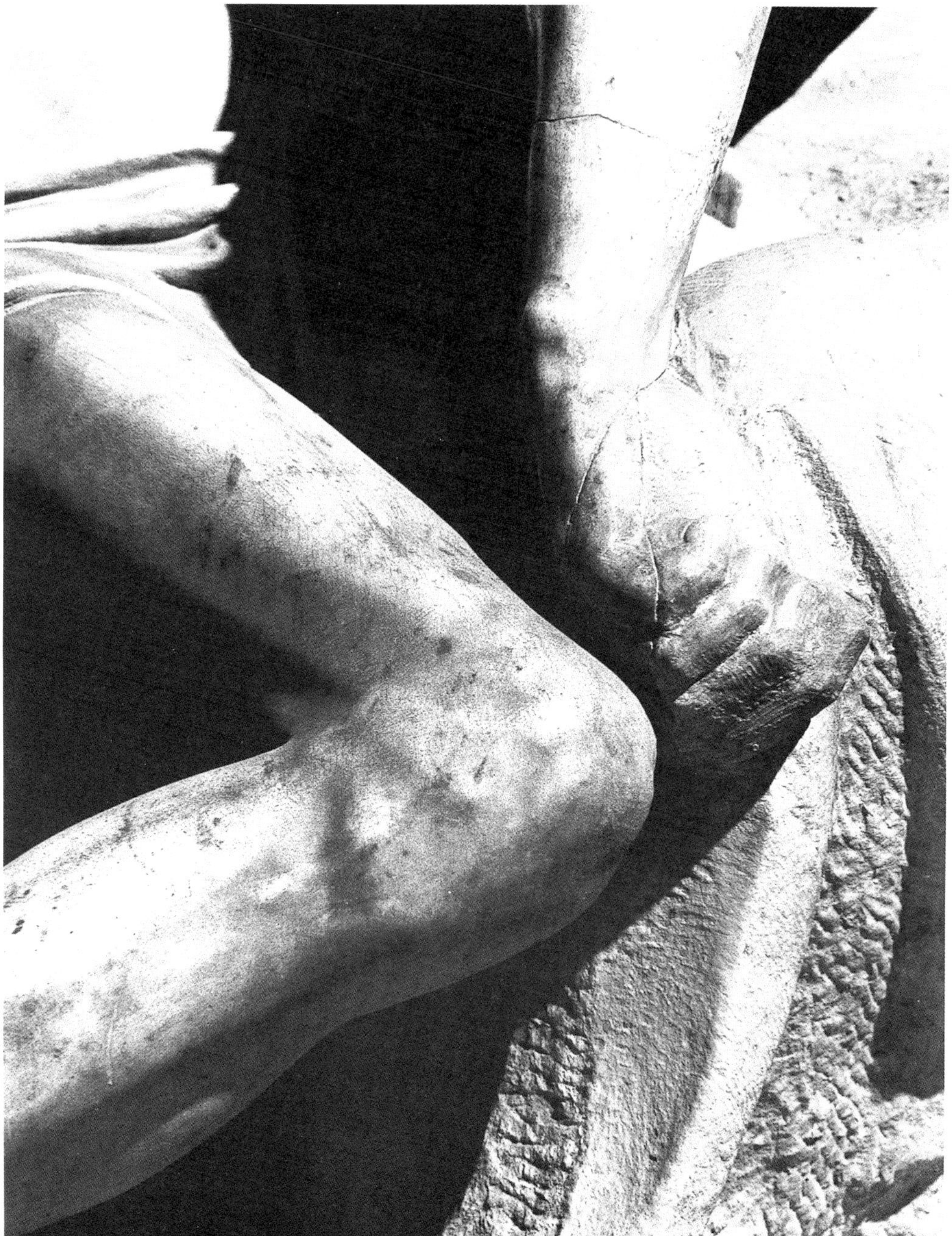

米兰《哀悼基督》

1563—1564 修改
高 195 厘米
米兰史佛萨古堡

这是最后的作品了，传记上记录八十九岁的米开朗基罗在逝世前两三天还在雕刻这件作品。

依然是“哀悼基督”，是信仰与死亡的主题。

比先前一件作品去除了多余的部分，他使单纯的母与子紧紧依靠在一起。

儿子的身体细瘦修长，好像背负着母亲，一起往天上升去。

死亡会是一种解脱吗？

死亡解除了沉重的负担，可以轻盈飞升起来吗？

但是，只要一改换角度，作品的内容就变了，他们不是升起，是母亲用大腿的力量托着儿子的臀部，要儿子站起来，她悲伤的脸紧紧依靠孩子，好像要把所有的体温和生活的力量都交给孩子。

这是“未完成”的作品，却是一个伟大的美学思考者最完美的一个句点，他没有在意作品的完成，他在意生命的完成。

ANGELO

第三部

米开朗基罗

Michelangelo

Michel，Angelo，米开，天使

米开朗基罗的全名很长，用西方文字书写是：Michelangelo di Lodovico Buonarroti Simoni。

Lodovico 洛多维克，是米开朗基罗父亲的名字。Buonarroti，比奥纳罗帝，是家族的姓氏，据说源自于贵族血缘。米开朗基罗也常以这个姓氏为荣。但在他诞生时，家族的境况已经十分没落。父亲老多维克只是阿雷索（Arezzo）地区一名生意冷淡的代书，负责替人书写文件或做契约的公证人。

米开朗基罗诞生于一四七五年三月六日。诞生在阿雷索附近一个叫卡普雷斯（Caprese）的小村庄。

小婴儿接受了洗礼，取名米开朗基罗。这是意大利男性常见的名字，传说基督教中的大天使名字就叫“米开”（Michel），因此父母为孩子取名大天使“米开”，便

是祝福新生的婴儿有天使的智慧与慈悲吧！

小婴儿诞生一个月后，全家就搬迁到佛罗伦萨，住在著名的“圣克罗齐”（Santa Croce）教堂附近。教堂墙壁上有乔托（Giotto）以圣方济各一生为故事主题的壁画。童年的小米开朗基罗就浸染在壁画美丽的图像世界。看到圣方济各谦卑的面容，向草地上的鸟雀说话，向荒野中的百合花说话。圣方济各相信基督的信仰存在于最单纯的事物中。

圣方济各相信基督的精神是简单的“爱”与“和平”。

他相信清贫的生活使人更靠近自己的心灵。他居住在山中隐修，带领信徒去看春天解冻的山泉，水汩汩从岩石间流出，树梢上萌发了新绿的嫩芽。圣方济各说：“看啊，那就是‘神’的奇迹！”

乔托以平实朴素的画法描绘这一位隐修圣徒的一生。

乔托似乎相信：真正的伟大只是回来做平凡安分的人。

乔托画里的圣方济各是谦逊安静的人，渴望心灵的富足，渴望接近自然，接近生命无所不在的美，渴望把生活的美与他人分享。

童年的米开朗基罗在这教堂中祈祷，看到壁画里临终的圣方济各躺在床上，床边围绕着众多信徒，他们悲哀，恸哭，舍不得圣徒的离去。

小米开凝视着壁画中节制而内敛的情感，凝视着在他诞生之前意大利伟大人文先驱留下的美的信仰，他也将继续在这信仰中成长。

洛伦佐之墓——黎明 1519—1534

“黎明”仿佛刚刚从睡梦中苏醒，手臂与肩膀的肌肉都非常“男性”。

朱利亚诺之墓——夜 1519—1534

“夜”是沉湎在睡梦中的女性，然而“她”的肢体骨骼都强大雄壮，仍然是以“男性”为模特儿雕塑的人体。

洛伦佐之墓 1519—1534

米开朗基罗作品中的“女性”常以男性的身体为模特儿，展现出雄强的力量。

奶妈是石匠的妻子

米开朗基罗与母亲的缘分很浅，他出生时，因为有一名比他只大十六个月的哥哥，也在襁褓中，需要哺乳，母亲只好把小米开交给奶妈抚养。

奶妈住在距离佛罗伦萨不远的小村庄塞提纳诺（Settignano），丈夫是一名石匠，整天敲打石头，叮叮咚咚，小米开最早的生活记忆就是奶妈家石头敲打的声音。他长大以后，终日与石头为伍，成为伟大的雕刻家，他常自豪地说：我是吃石匠家的奶长大的。

小米开的母亲无法抚养他，之后却又陆续生了三个孩子，一直到一四八一年，小米开六岁的时候，母亲才过世。

近代的精神分析学常以达芬奇和米开朗基罗童年时母亲的缺席来解释他们艺术创作领域对女性的态度，或潜意识里性倾向的特征。

近代精神分析学是否准确解读创作者的内心世界，或许还有争议。

达芬奇与米开朗基罗在性倾向上都是同性恋者。

达芬奇一生与许多年轻男子有交往，也实际有性行为的接触。

米开朗基罗却似乎一直使自己对男子的爱保持在热烈的激情中，他为这些俊美而有人文教养的男性如德·卡瓦里耶（Tommaso dei Cavalieri）塑像、写诗，留下一封一封美丽动人的书信，但似乎从未有过真正的性的接触，仿佛他宁愿陶醉在自己激烈的爱的狂涛中，而不愿意接触到现实中爱的幻灭，他的恋爱是典型的“柏拉图式”的爱情。

但无可否认，无论达芬奇或米开朗基罗，一种希腊异教式不分性别的爱，的确成为他们重要的创作动机。

依据近代精神分析学的说法，达芬奇因为母亲缺席，不断在绘画里寻找完美的女性，相对而言，现实中的女性也就对他失去了“完美性”。

然而，在米开朗基罗的雕刻中，几乎完全无视女性美的存在，他在作品中极少数处理女性的肉体，例如《黎明》或《夜》，仔细检视，这些“女体”事实上都是以男性粗壮雄强的肉体为基础的转化。

精神分析介入创作领域的解读是近代的事，或许还有许多争议之处。

米开朗基罗寄养在奶妈家，与亲生母亲疏远的关系，是否深刻影响他一生的性向与创作，也许还有待更多的证据资料来厘清与理解。

《卡西纳战役》中人物坐像习作

钢笔及粉笔素描，伦敦大英博物馆。

最早的学习与基兰达约

文艺复兴一位重要的艺术史家瓦萨里（Giorgio Vasari）著作过当时重要艺术家的传记生平。这本书在公元一五五〇年出版，当时米开朗基罗七十五岁。到了一五六八年，瓦萨里再度增补，米开朗基罗已经逝世四年。因此，瓦萨里的著作有最可靠的米氏生平数据，也是所有介绍米开朗基罗生平的共同依据。

米开朗基罗大概十岁时被送到学校学习文法修辞，显然他的父亲希望把他训练成一位学者。也有数据显示在他七岁时即送入小学读书。但是，他与父亲对他的期望不一样，似乎他更笃定要做一名艺术家，他也必须从绘画、敲打石头……这些手工的技艺开始。

在当时，传承着中古世纪学徒制的手工作坊传统，一个学手艺的学徒，必须拜师

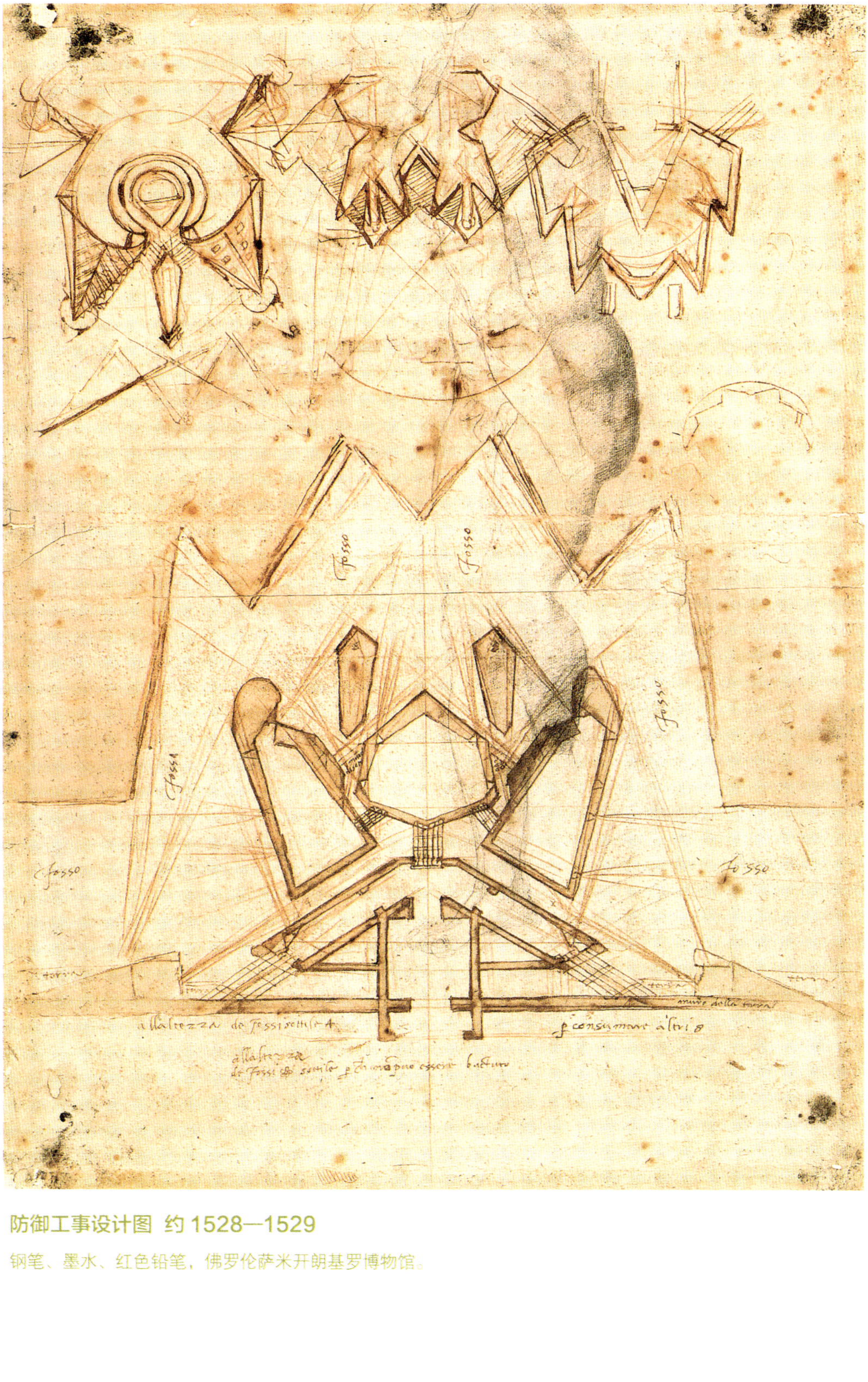

防御工事设计图 约 1528—1529

钢笔、墨水、红色铅笔，佛罗伦萨米开朗基罗博物馆。

学艺，做三年左右的学徒，取得工会认可，才能出师自谋营生。

达芬奇就是韦罗基奥工作坊的学徒。

米开朗基罗在一四八八年四月一日，他十三岁的时候，正式登记成为画家基兰达约（Domenico Ghirlandaio，1449—1494）工作坊的学徒。

十三岁的米开朗基罗进入基兰达约工作坊，学习了两年，当时基兰达约正接了一件案子，在佛罗伦萨新玛利亚圣堂处理祭坛壁画，米开朗基罗做助手，学习到了最实际的处理湿壁画（Fresco）的技法。

基兰达约是画家，也是雕刻家，他在绘画的素描作品中强调用光影处理人体，明暗对比以交叉的线条来构成，使人体的立体感更强，看起来像雕塑一样。

这种交叉线条的加强阴影画法（Cross-hatching）在米开朗基罗十四岁左右的素描里还有实物保存。一条一条有秩序的细线，不断交叠、交叉，构成明暗光影，使人体衣纹像雕刻一样立体，这种技法也构成米氏美学最重要的基础来源，强调量体的浑厚深沉的力量。

马萨乔的影响

米开朗基罗最早的素描，人物衣纹的交叠细线光影处理法，来自基兰达约。但是这件素描却来自比米氏早半世纪的一位大师马萨乔（Masaccio）的著名壁画。

马萨乔年轻时在佛罗伦萨南边一所布兰卡奇（Brancaci）礼拜堂画壁画。壁画的主题是耶稣的大弟子彼得。彼得原来是一名渔夫，遇到了耶稣传道，耶稣召唤彼得说："跟从我，我让你得人如得鱼。"彼得因此成为耶稣最重要的门徒。

马萨乔在一四二七年处理湿壁画《彼得的一生》，他没有依照传统把彼得处理成完美高贵的圣人，相反的，彼得平凡朴实，他走在街头的穷人之间，他走在行乞的卑微乞丐之中，马萨乔使原来神圣的宗教回到真实人间。

很显然米开朗基罗青少年时主要的偶像就是马萨乔。

他常常到布兰卡奇礼拜堂，仰望壁画里真实的人性，看到伊甸园里的亚当、夏娃并没有遵守上帝的禁令，他们偷吃了禁果，被逐出伊甸园，亚当蒙面羞惭，夏娃仰头号啕大哭。

马萨乔使人类的始祖背叛上帝，生命的存活意义，并不是如宠物一样被豢养，而是出走成为独立自主的个体；生命的意义也并不在神圣性的完美，而是不断对抗、纠缠在堕落、耻辱与惩罚之中。

马萨乔不到三十岁就逝世了，但是他创造的人性价值与美学精神却深深影响到晚他半世纪以上的米开朗基罗的艺术。

米开朗基罗是骄傲自负的，但他从不讳言对马萨乔这一位前辈的敬仰与学习。在他创作伟大壁画《创世纪》时，也大胆沿用马萨乔的亚当、夏娃原型，他显然觉得在这一主题的创作上，没有人比得上马萨乔了。

米开朗基罗的素描中，一个侧面站立的人体，身上裹着沉重宽大的外袍，衣纹一褶一褶垂下，传达出织料的质感。画面的男子伸出右手，仿佛正要接受他人奉献的东西。

这件作品正是马萨乔壁画里的图像，有光环的彼得正在接受信徒奉献金钱。

文艺复兴前期，有不同美学的流派，马萨乔开创的粗犷浑厚人体正是米开朗基罗美学的前身，了解米开朗基罗的艺术本质，也必须追溯到马萨乔原型。

素描——临摹马萨乔的壁画 1489—1490

米开朗基罗少年学徒时的素描，以交叉线条处理光影。

伟大的洛伦佐

佛罗伦萨像意大利托斯卡纳（Tuscany）省的其他城邦一样，从十四世纪以来，逐渐形成了社会的商人阶级。

商人靠经商致富，靠产业致富，却并不只是对财富贪婪。许多中产阶级的商人家族，到了第二代、第三代，开始接受人文主义的教养，阅读古希腊哲学、文学经典，收集古希腊罗马的雕刻、古代艺术品、文物，成立专门研究古代文化的学院，集中优秀的精英知识分子，在基督教帝国的禁令下，敢于突破思想禁忌，出版柏拉图文集，探讨异教的人体美学。

米开朗基罗成长的年代，正是佛罗伦萨的商人阶级全力推展文化创造力的时代。

以著名的美第奇（Medici）家族而言，从第一代柯西莫（Cosimo）创业，建立了欧洲最大的纺织业，涉足金融银行业，逐步参与政治，推动开明改革，协助学者、艺术家不必顾忌政治禁令，可以全心创作。

柯西莫的孙子，美第奇家族的第三代洛伦佐（Lorenzo the Magnificent）被冠上了“伟大的”称号，他是政治家、军事领袖，但同时也是诗人、思想家，更重要的是在他的主导下，聚集了一个时代最优秀的人文学者艺术家，创造出欧洲历史上最足以自豪的、影响深远的文化花季。

米开朗基罗正是伟大的洛伦佐一手栽培出来的主要典范。

一四八九年，米开朗基罗十四岁，研究古希腊罗马的古典作品已蔚为风气，但是一般人并没有太多机会接触到古典作品，尤其是梵蒂冈教会代表的保守势力还视古典作品为“异端”，禁令没有解除，艺术家们也只有凭空想象古希腊罗马雕像的精彩。

洛伦佐当时推动开明政治，把家族的古典收藏集中在佛罗伦萨圣马可（St. Marco）教堂附近的一个花园中，类似古代的“学院”。在特别的准许下，一批当代精英，在这个“学院”翻译古希腊哲学，朗读古神话、悲剧、史诗，研究古典建筑与雕刻的元素。

洛伦佐被称为“伟大的”，不只是他的政治权力与经济上的财富，其实更重要的是他以政治和经济实力保护了古典文化，对抗封闭保守的基督教帝国，促成五百年来欧洲人文思想的萌芽与觉醒。

没有人性的觉醒，权力与财富只会使人更粗鄙堕落。

米开朗基罗是伟大的洛伦佐特选准许进入这个古典学院做研究的青年，他，只有十四岁，在这个人文荟萃的学院，与当代一流的学者接触，广泛阅读古代经典，认识古典艺术中不朽的人文质量，了解所有雕刻作品中的美学精神，米开朗基罗在这个“洛伦佐学院”打下了他厚实的人文与美学基础。

孩童与酒神

黑色粉笔素描，英国温莎皇家博物馆藏。

鼻子被打碎

洛伦佐精英学院中聚集了一个时代最优秀的学者、画家、雕刻家，把思想、性灵的追求与手艺工匠的技术结合。

当时学院的负责人是多纳泰罗（Donatello）的徒弟贝托多（Bertoldo di Giovanni）；多纳泰罗已是当时佛罗伦萨最著名的雕刻家，他以朴实平凡的方式解释传袭已久、形象已经概念化的圣经人物，他在一名老妓女玛德莲身上看到肉体的难堪、邋遢、卑微，但同时又看到在沉沦的身体里信仰的圣洁。

多纳泰罗使僵化空洞的基督教重新回到现实生活，他拒绝概念化没有生命的神话圣经人物，他拒绝迂腐保守的教会禁忌，他在街头上看到为生命而努力的大众的庄严与神圣。

比米开朗基罗年长一代，绘画上的马萨乔与雕刻上的多纳泰罗都为文艺复兴开启了新的视野，不只是艺术视野，其实更重要的是开启了生命视野。

生命视野不打开，是没有艺术可言的。

这是为什么美第奇家族全力支持古希腊罗马人文精神的研究。

人文精神，当然是回到以“人”为本体的思潮。

这个精英学院的成员，人数不多，大多是十五岁上下的青年手艺人，他们已经有良好的技艺训练，但是需要人文的厚度，可以在自己的身体与性灵都在成长的同时，有机会与一代最优秀的同伴切磋。

米开朗基罗显然在这一群同年龄的少年中也突显了卓越杰出的才能。

卓越杰出，也一定容易桀骜不驯，一段小小的故事显示了米开朗基罗少年的狂傲。

学院中有一名学生托里吉亚诺（Torrigiano），跟米开朗基罗是好朋友，常常在一起工作，一起临摹马萨乔的作品。

米开朗基罗在技巧上已经驾轻就熟，远远超过学院的同学。对他而言，临摹前辈大师作品轻而易举，但是，其他学生则还需要全力以赴。小米开临摹完之后，东看看西看看，觉得同学们都画得不好，就口出恶言，嘲笑讥讽同伴，这个举动当然惹恼了同年龄血气方刚的朋友，托里吉亚诺在盛怒之下，一拳重击在小米开的鼻梁上，打断了鼻梁，使米开朗基罗一生带着塌陷的鼻梁，成为他永远修正不了的五官。

这个故事记录在不同版本的书里，以后米开朗基罗成为著名艺术家，托里吉亚诺有点以此自豪，他觉得米开朗基罗的塌鼻子是他的作品，他说：他走到哪里，身上都带着我的“签名”。

米开朗基罗在创作的世界是没有太多对手的，他总是赢，甚至在以后的一次竞图里，他也赢了达芬奇。

现世里没有对手，也许注定要走向巨大的孤独。

米开朗基罗少年时的狂傲自负，像他鼻子上的一道弥补不了的伤疤，他愈走向创作的巅峰，也愈感觉到历史巅峰处的彻底寒冷与孤独吧！

最早的作品

米开朗基罗最早的作品可以追溯到他十四岁的一些临摹作品，包括临摹马萨乔的素描，也包括一件已经佚失的仿古典的《牧神》石雕。

牧神（Faun）是古希腊神话中主司性与肉体的欢愉的神。他的长相很特别，有人的五官躯干，但是头上有山羊角，颔下有山羊胡，下半身更是标准的羊的后腿，臀部还有一条羊尾巴。

牧神长相半人半兽，常常有勃起的阳具，追求美女或俊男求欢。

希腊人以牧神象征人类未曾消退的动物性，也歌颂肆无忌惮的狂野的性欲与生殖的能力。

在基督教统治时期，牧神当然成为最大的禁忌，在严厉的宗教禁令下，古代牧神雕像多被打碎，埋在地下，或丢进海中。

美第奇家族的开明改革，重新解放了古希腊诸神，在洛伦佐的精英学院，米开朗基罗就仿制了一尊牧神头像。

文献记录上描述米开朗基罗完成了牧神像的复制，这是一尊老年的牧神，羊角，羊胡须，露齿而笑。

这件老牧神像被洛伦佐看到了，他看了一会儿，和米开朗基罗讨论起来。他说：你不觉得牧神看起来不够老吗？老年人通常应该缺几颗牙齿。

米开朗基罗接受了洛伦佐的建议，动手修改作品，敲掉了上牙床的几颗牙，使老牧神的笑容中有一种苍凉。

这件作品早已佚失了，看不到原作，但这个故事广泛流传，可以使人了解当时洛伦佐的精英学院如何教育青年，作为一个城邦的领袖，洛伦佐如何和一名十五岁不到的年轻学徒讨论作品的含义。

精英学院是使人在自由的、无禁忌的开放空间充分互动与激荡出创作的品质。

少年的米开朗基罗与一代精英一起成长，其中包括了美第奇家族下一代的政治领袖，像乔凡尼（Giovanni），以后是梵蒂冈的教皇利奥十世（Leo X），比米开朗基罗小一岁；像朱利奥（Giulio），以后的教皇克莱门特七世（Clement Ⅶ），他们是城邦统治阶级的精英，家族刻意培养的接班人，与米开朗基罗一同在精英学院受教育，以后掌握权力，能够开创文化的格局，为五百年来的欧洲文明走向现代化打下了不朽的基础。

辉腾的跌落

黑色粉笔素描，伦敦大英博物馆。

辉腾的跌落

黑色粉笔素描，温莎皇家博物馆。

牧神的复制作品虽然遗失了，但是少年米开朗基罗浸染在古希腊文明中的精神却贯穿他的一生。

希腊神话中充满了丰富的人性张力，和基督教“善”“恶”二分法不同；希腊神话常常在人性里同时看到圣洁，也看到沉沦。

我们有神性的向上追求，也有动物性的向下坠落的欲望。

在柏拉图的哲学中，也试图在圣洁的神性与沉沦的动物性中找到灵肉和谐的可能。

精英学院的学者费奇诺（Ficino）从古希腊文翻译注释了大量柏拉图哲学著作。精英学院几乎以柏拉图哲学为思想上的主流，产生了新的思潮名称“新柏拉图主义”（Neoplatonism）。

文艺复兴前期画家波提切利（Sandro Botticelli）最著名的《维纳斯的诞生》《春》，都是受新柏拉图主义思潮影响产生的绘画作品，在基督教严厉禁忌下，揭开了肉体渴望解放的序幕。

米开朗基罗传世的最早作品更明显表现了希腊神话对人体美的讴歌。

一四九一年，米开朗基罗十六岁，开始创作浮雕作品《战斗》。

《战斗》与新柏拉图哲学

“人马兽”（centaur）是古希腊艺术常见的一种图像。上半身是粗壮的男子，下半身是马，凶猛暴烈，经常冲入城邦，掠夺民间女子，与诸神战斗。

古希腊神话中的“人马兽”也被认为是当时希腊北方一种骑马的游牧民族。

古希腊雕刻喜欢以“人马兽”为主题，描写人体与马匹纠结的肌肉，展现野性的阳刚之美。

一四九一年，米开朗基罗十六岁，制作了一件浮雕作品，被命名为《战斗》，在一块接近方形的石板上，雕出人体与人体的纠结，有人认为这是从古希腊“人马兽”的故事转化而来的创作。

十六岁的米开朗基罗，经过美第奇家族学院的训练培养，熟悉了古希腊罗马的哲学经典，特别是柏拉图哲学中对肉体与性灵之爱的细致描述，强烈影响到他最初的这件作品。

这件浮雕，底部以斧凿斑驳痕迹为背景，留下粗犷的质感。

人体的部分，并没有遵循文艺复兴前期古典的均衡和谐规则，米开朗基罗似乎更着重于男性肉体的强烈力度。身体与身体一个纠缠着一个，好像许多解不开的肉体的结，突显出肉体各式各样肌肉的变化。

拉扯的手臂，扭曲的腰，匍倒的背，转动的胸脯。身体一个牵连着另一个，仿佛透过这些肉身，米开朗基罗使我们看到了生的欢欣，死亡的沮丧，爱的热烈，恨的沉痛，他使肉体转化成生死爱恨的力量，也正是新柏拉图哲学当时试图阐释的美学主题。

浮雕里的肉体，像人性的波涛，一层一层汹涌而来，令人震悚，令人窒息，仿佛我们也经历了自己的生死爱恨。

很难相信这是米开朗基罗十六岁至十七岁的作品，这浮雕中呈现的并不只是成熟的技巧，而是一个伟大艺术家非凡的人性厚度。

米开朗基罗一生的作品持续思考着人性的意义。人，为什么而活？存在的意义是什么？欲望使肉体沉沦吗？热烈的爱为什么像火焰般燃烧，使肉体炙痛？

米开朗基罗用极深的刀法刻出人体，突显肌肉的凹凸，受光部分的明亮与背光凹处的暗黑，形成强烈对比。

圣洁与沉沦，爱与恨，对比成他生命美学里相互激荡永不止息的两种动力。

“战斗”，或许不是与他人的“战斗”，而是永远不会停止的与自己的战斗。

一四九二年四月八日，美第奇家族的伟大的洛伦佐去世，文献上记录，就在洛伦佐离开人间不久之前，少年米开朗基罗完成了他最初的杰作《战斗》。

洛伦佐在历史上是不朽的政治领袖，因为他的名字永远和达芬奇、米开朗基罗、波提切利联结在一起。

米开朗基罗仿佛以《战斗》作为影响他一生的洛伦佐的献礼。

生命是不断与自己“战斗”的过程，洛伦佐的精英学院传述了新柏拉图哲学的这一人性观点，米开朗基罗使它具体成为可见的人体价值。

米开朗基罗之前，文艺复兴的雕塑家多半以铸铜为主，以泥土塑模，翻铸成青铜。米开朗基罗一生以石雕为主，他更渴望直接在坚硬的石头上留下斧凿的痕迹。石头上的斧凿，就像人身上的伤疤，是跌倒受伤后痊愈的记录，米开朗基罗并不歌颂平顺光滑的身体，对他而言，伤痕瘢疤或许更见证了肉体对抗灾难的力量。

战斗 1491—1492

米开朗基罗十六岁的作品《战斗》已经表现出他独特的人体风格。

《阶梯圣母》与基督信仰

意大利文艺复兴时期的艺术家常常被强调他们歌颂希腊，反抗基督教的一面，达芬奇如此，米开朗基罗也如此。

但是，艺术家们反抗的，只是梵蒂冈教会代表的专制保守，特别是思想上的禁忌与限制，而并不是基督教本身的信仰。

米开朗基罗一生，有许多作品表现出希腊的精神，如同他十六七岁即以古希腊神话"人马兽"的故事创作出《战斗》这一件浮雕。

但是米开朗基罗和同一时代的人文主义者一样，都同时深受基督信仰的影响。

他们在古希腊文化里得到对人性真实的理解，解放了被禁锢的肉体欲望，同时，他们还是渴望在基督信仰里找到一步一步提升自己心灵的可能。

甚至，当时流行的“新柏拉图主义”思潮，正是试图把古希腊柏拉图的唯心哲学理念，与基督教的性灵哲学相结合，使肉体的爱可以一步一步，像经由阶梯攀爬到纯粹心灵的高度。

十六岁米开朗基罗创作的《阶梯圣母》正是他深受基督信仰影响的一件作品。

《阶梯圣母》以浅浮雕刻成，圣母怀抱圣婴，侧坐在阶梯旁边。圣婴背对画面，好像有点害怕羞怯，头部躲在母亲的衣袍下。

阶梯上方有人拿着十字架，似乎预告着婴儿耶稣未来最终的结局。

圣母的表情庄严肃穆，她凝视远方，仿佛也在凝视着自己怀中的婴儿未来将要面临的悲剧。

米开朗基罗从人性的亲子之爱去表现神圣的宗教情操，与罗马梵蒂冈教会的专制保守有了区隔，也与一般盲目迷信的死忠信徒的愚昧有了区隔，赋予基督信仰另一种提升人性心灵的可能，即使是圣婴，也仿佛要经由“阶梯”一步一步走到自己宿命的终点，这正是新柏拉图主义阐释的人性价值，也是同一代艺术家共同遵循的美学理念。

这件作品与《战斗》相比较，呈现了两极的精神内涵，《战斗》浮雕以强烈的凹凸，以高浮雕技法，强调明暗对比，突显人体夸张的肌肉与动作，是典型希腊美学的影响。

《阶梯圣母》则以浅浮雕细腻的质感传达出宗教信仰的端庄圣洁，尤其是圣母衣纹的处理，宛转柔软如水流动，浅浅的线条，透露着幽微的光的流动，米开朗基罗在信仰里得到的宁静祥和之美，转化成了他刀斧下最柔细的笔触。

米开朗基罗一生在希腊与基督信仰两种截然不同的美学中冲突。他肉体上追求最大的欲望解放，心灵上又企求圣洁与平和；他不断渴慕现世肉体之爱，又潜进圣堂向神忏悔罪孽，米开朗基罗的矛盾成为他创作上最大的动力。他往往一面创作着基督教主题的作品，又同时创作着希腊主题的作品。

一四九四年，他北上博洛尼亚（Bologna），一直到威尼斯，当时日耳曼地区的北方画派大师丢勒（A. Dürer, 1471—1528）也在意大利北方，他们是否相遇，没有直接证明。但他在博洛尼亚时期，住在大学者阿尔德罗万迪（Aldrovandi）家一年之久，他们一起阅读大文豪但丁（Dante）和彼特拉克（Petrarca）的作品，整晚整晚地朗诵讨论，使米开朗基罗浸染在深厚的文学气蕴中，他在人文背景上的厚度已远远超过一般只有技巧的雕刻工匠，他也从雕刻的领域广泛涉猎到文学、哲学的范畴，也创作了极杰出的诗作。

冲突在米开朗基罗身体内的两种力量，希腊的肉体解放，与基督教的心灵升华，促使他在思想的层次有更深刻的追求。激荡在他胸口的两种剧烈的波涛，也回旋在整个意大利的文艺复兴运动中。

美第奇家族代表的开放自由，鼓励学者、艺术家大量吸收古希腊文化精髓，而这种开放自由却被另一股势力批评为对上帝的背叛，最主要的批评声音来自当时圣马可（St. Marco）修道院的领袖萨伏那洛拉（Fra Girolamo Savonarola, 1452—1498）这个以苦修圣徒自居的修道僧，对青年的米开朗基罗影响至深。

阶梯圣母 1491

十六岁的米开朗基罗的“阶梯圣母”衣纹如水，是古典风格的作品。

关于萨伏那洛拉

萨伏那洛拉是佛罗伦萨最重要的圣马可修道院的院士，他生在一四五二年，与达芬奇同岁，长米开朗基罗二十三岁。

一四五四年，意大利各城邦签订了《洛迪和约》（*Peace of Lodi*），佛罗伦萨因此有长达四十年的和平，可以发展经济，也有余闲可以发展文化与艺术的创作。

这四十年是佛罗伦萨的黄金时代，波提切利、达芬奇都在这一段时间创作了他们的作品。米开朗基罗在这种开明、美丽、优雅的气氛中成长，一直到一四九四年，他十九岁，才有了重大改变。

在这四十年间，基本上是由代表开明力量的美第奇家族执政，他们鼓励及支持学者研究古希腊哲学经典，出版当时教会视为禁书的重要文学与哲学书籍，鼓励及赞助艺术家从事希腊绘画及雕刻的研究。

波提切利的《维纳斯的诞生》正是这一开明风气下最好的作品。

但是，时代的发展绝不是单向的，有开明进步的力量，同时也一定有保守力量的反扑。

萨伏那洛拉集结了所有隐藏的保守力量，他们以基督信仰的立场，认为美第奇家族的开明是一种欲望的放纵，他们认为研究希腊哲学是背离了基督的训示，他们认为，艺术家们绘画及雕刻歌颂肉体的作品是犯了神的禁令，他们宣告这种肉体的放纵是有罪的，他们宣告：神将对佛罗伦萨的罪降下惩罚与天谴。

在开明和平经济繁荣的时代，一个面貌严峻、表情冷酷的苦修教士，站在街头，用尖锐苛刻的声音向众人宣告："你们有罪，快低头忏悔！"这样的声音，或许不会发生任何力量，连开明统治的美第奇家族也不在意这样的声音，或许认为经过启蒙的大众，只会嘲笑这种肤浅的"罪与罚"的观念。

但是，在不同的背景下，这种声音却可能是最强烈煽动群众起来攻击对手的力量。

当时的开明中产阶级和人文学者太小看这种来自苦修士的声音了。

一四九四年，法兰西国王查理八世（Charles Ⅷ）发动对意大利的战争。佛罗伦萨的统治者是美第奇家族的皮耶罗（Piero de Medici），他向那不勒斯和主斯两个城邦求援，挡不住强大的法兰西攻势，查理八世一路势如破竹，打到热那亚（Genoa），佛罗伦萨危在旦夕。

这时候，站在街头的苦修士的声音被听到了。

萨伏那洛拉冷峻的声音中不断宣告着城邦的放纵之罪，不断强调神的惩罚已然降临。

在战争与毁灭的恐惧中，成千上万群众聚集在大教堂，听到苦修士坚定无情的宣告，纷纷跪下来，求神饶恕，免除灾难。

萨伏那洛拉获得了群众支持，他代表着神，他扮演了先知的角色，他是惩罚者，也是赦免者。

十九岁的米开朗基罗挤在恐惧战栗的群众中，他也全身发抖，仿佛从肉体内升起一种寒冷，觉得自己犯了不可饶恕的罪孽。

一直到米开朗基罗七十八岁的老年，回忆六十年前的往事，他还向朋友说：他记得萨伏那洛拉的声音，他记得那声音中宣告的罪与罚的话语。

艺术的创作者仿佛戴罪修行，“罪”与“罚”的概念一生纠缠着米开朗基罗。

街头上的群众聚集不散，皮耶罗没有能力处理安抚惊慌的市民情绪，大难临头的恐惧使群众哭泣，诵念经文，仿佛经历一场恶魇，萨伏那洛拉成为新的统治者，以神权治国，宣告新的上帝邦国的来临。

一四九四年十月，米开朗基罗离开了陷入集体疯狂中的佛罗伦萨，他独自去了博洛尼亚，去了威尼斯，在人文学者的家中阅读文学哲学经典。他使自己远离热烈躁动的故乡，沉潜在深沉的思维与信仰里。

一四九六年，萨伏那洛拉神权统治的佛罗伦萨果真遭遇巨大灾难，豪雨、河水泛滥成灾、饥荒，一连串像是“天谴”的灾难，使萨伏那洛拉可以继续他代言神的旨意，宣告人类之罪，宣告惩罚的意义。

米开朗基罗静静思考着，他关心的已不只是雕刻，不只是艺术，不只是美，而是潜藏在人性深处复杂的多元矛盾，信仰与理性，人性价值与神权，苦修与欲乐，肉体与心灵，罪与罚，他以后伟大作品的基调已在酝酿，等待成形。

在故乡过度喧嚣陷于激情时，他选择了离开。

一四九六年六月，米开朗基罗启程去罗马梵蒂冈，数据显示他在六月廿五日抵达罗马。不多久，佛罗伦萨发生了大瘟疫，黑死病变成萨伏那洛拉宣告的最重大的惩罚悲剧。

米开朗基罗离开佛罗伦萨五年之久，一直到一五〇一年五月才重回故乡，在罗马期间他创作了《酒神》以及以圣母怀抱耶稣尸体的《哀悼基督》（*Pietà*），成为举世闻名的雕刻创作者。

萨伏那洛拉，统治了佛罗伦萨四年，在一切灾难中，这个城邦度过了最黑暗恐怖的岁月，人民度过了激情年代，重新醒悟了，背叛了他们原来视为先知的苦修士，逮捕了他，在一四九八年五月二十三日，把萨伏那洛拉带到城市市政厅领主广场，搭了绞刑架，下面架起柴火，把苦修士在群众的叫嚣声中绞死烧成焦尸。

现在佛罗伦萨的圣马可修道院还保存着萨伏那洛拉的念珠和僧袍，做了一名虔诚的苦修信徒，他似乎走完了他宿命的“殉道”。

他的名字留在佛罗伦萨的历史中，成为不可遗漏的一页。

他的呼叫的声音一直回旋在米开朗基罗的脑中。

酒神

耽于享乐与放纵的肉体欲望是一种罪吗？是不可饶恕的罪吗？

刚刚过了二十岁的青年米开朗基罗，远离了陷在罪的恐惧中的故乡，到了罗马。

罗马的古希腊罗马收藏使他大开眼界。他看到一尊一尊从地下挖掘出来的古代雕刻，阿波罗、维纳斯、酒神狄俄尼索斯，如此完美的赤裸的肉身，使他悸动着。

这些肉身都有不可饶恕的罪吗？

他在一四九六年六月抵达罗马后，不断写信给朋友，表示他心中的震动，他看到古代希腊雕刻中肉体与心灵同样的美与崇高，他觉得自己距离这样的美还很远，他要极力追上古典精神含蓄内敛的力量。

收藏古希腊作品的是一些天主教中开明的主教，他们有许多来自人文背景修养深厚的中产阶级家庭，没有因为教会的身份职位影响他们对古希腊作品的爱好。

其中有两位主教的收藏对米开朗基罗帮助最大，一位是瑞里欧主教（Raffaelo Riario），另一位是他的堂兄弟罗维里主教（Giuliano della Rovese），后者也就是以后继任教皇的朱利叶斯二世（Julius Ⅱ），也就是任命米开朗基罗创作西斯廷礼拜堂《创世纪》大壁画的教皇，成为米氏一生最重要的激发创作的动力。

他在这些主教的收藏中受到的古希腊作品的影响，使他创作了一件重要的作品《酒神》。

酒神希腊原名狄俄尼索斯（Dionysos），拉丁文的名字改为巴克科斯（Bacchus）。

酒神 1496—1497

米开朗基罗想借用古希腊酒神的酩酊，解放基督教会对人性的压抑。

希腊神话传说，天神宙斯爱恋人间美女，女人怀了孕，却遭宙斯之妻赫拉的嫉恨，设下诡计，要宙斯显现“真身”。宙斯“真身”是雷火霹雳，一声炸裂，怀有身孕的女子即刻毙命。宙斯将女子腹中早产儿救出，缝在自己大腿肌肉中抚养，再送至森林水仙处长大成人。

因此，酒神是在“火”中诞生，“水”中长大，也象征了“酒”是“水中之火”。

酒神是希腊的狂欢之神，他头上缀着一串一串的葡萄，右手举着酒杯，透露出酩酊状态陶醉的表情，微微突出的小腹，有一种耽于逸乐的慵懒之感。

酒神全身赤裸，坦然于他肉体的放纵，他的左脚下还依靠着半人半羊的牧神之童（Ratyr），扭转着躯体，贪食着酒神左手垂下的一串葡萄。

这是大胆宣示希腊美学的作品，酒神与牧神是神话中最放纵感官享乐的神祇，也是基督教文化视为最淫欲的异端，米开朗基罗以这样的作品标志了他的追求。

《酒神》雕像是当时一位颇受人文思潮影响的银行家葛立（Messer Jaccopo Galli）订购的。

这些开明的中产阶级商人，特别没有教会禁令的限制，鼓励艺术家大胆创作，在财力物力以及精神观念上都是"新艺术"最重要的推动者。

许多人谈到米开朗基罗的《酒神》，认为这件他二十一岁的作品标志了新艺术风格的诞生，特别是牧神的部分，躯体上半身和下半身做近于一百八十度的反方向旋转，表现出文艺复兴前期雕刻中少见的律动之感，已经开启了米氏之后"矫饰主义"（Mannerism）的先例，直接影响到十六世纪以后的巴洛克运动。

酒神

酒神的左脚下还依靠着半人半羊的牧神之童（Ratyr）。

伟大杰作——哀悼基督

完成了《酒神》雕刻之后，一四九七年，米开朗基罗受法国主教德拉侯拉斯（Jean Bilheres de Lagraulas）的委托，进行一件巨大作品《哀悼基督》（*Pietà*）的雕刻。

他又回到了基督教信仰美学来了。

《哀悼基督》，在西方文字中大写的 Pietà，是基督教符号学（ICON）里最主要的专有名词之一。

“哀悼基督”，专指耶稣被钉十字架死后，圣母俯看从刑具上卸下的尸体，悲从中来，大声号哭的表情。

因为是基督教最重要的符号学，许多画家、雕刻家都处理过这一主题，也扩大成为母亲悲悼亡儿的亲子之痛的象征，近代毕加索的《格尔尼卡》（Guernica）画中，

哀悼基督　1498—1500

置放在罗马梵蒂冈的圣彼得教堂，成为五百年来世人最赞赏的少数艺术品之一。

哀悼基督（局部）

躺卧在母亲怀中的耶稣，仿佛使死亡重回婴儿的纯净安宁。

和美国舞蹈家玛莎·葛兰姆都处理过现代版的“哀悼基督”。

比米开朗基罗早一代的画家，像米兰的曼特尼亚（Mantegna）画的《哀悼基督》，强调圣母哭泣的苍老痛苦的脸，也强调耶稣尸体的受苦形象。

米开朗基罗一四九七年八月二十七日签了约，领到预付的一百五十金币（Ducat），开始面对着卡拉拉山（Carsara）采切下来的纯白大理石，他思考着：如何表达一种新的“哀悼基督”？

他要从旧的窠臼里脱胎而出，他要重新诠释新世代的“哀悼基督”。

一五〇〇年，《哀悼基督》完成了，成为献给新世纪最好的礼物，置放在罗马梵蒂冈的圣彼得教堂，成为五百年来世人最赞赏的少数艺术品之一。

如何凝视米开朗基罗的《哀悼基督》？

有比母亲哀悼夭折的孩子更大的悲痛吗？

有比母亲凝视俯看孩子的尸体更沉重的悲苦与爱吗？

《哀悼基督》里圣母的脸孔却平静到令人惊讶。

平静，平静到似乎看不出悲哀。平静，像一种令人不敢呼吸的窒息的苦闷。

艺术家使最大的悲痛凝炼成无声的沉默。

两个没有声音的身体，依靠着，圣母右手托在耶稣背后，左手微微张开，好像在说：你们看啊！这样的死亡，这样的声音。

圣母令人不敢呼吸的五官，不是因为悲痛，而是极致的安静，好像告诉我们，悲痛到了极至的安静，才是崇高的庄严。米开朗基罗宣告了新的“哀悼基督”，他使一切哭叫发泄情绪的表情变得低俗肤浅。

他要宣告新的崇高的生命价值。

许多人站在这件作品前，浏览着圣母如水转折的衣袍的纹路，那些转折，那些起伏，那些交错与重叠的线条，好像不再是衣纹，全部转化成心事的委曲婉转。

米开朗基罗使衣纹变成可以阅读的心事。

耶稣横躺在圣母怀中，一具完全成熟的男体，但是却像初睡的婴孩。

耶稣不像是死亡，也不像是受苦，米开朗基罗只在他的右肋处暗示了一点的切痕，手脚上的钉孔也隐微不显。

米开朗基罗拒绝夸张痛苦、灾难，拒绝廉价贩卖悲哀。这是“哀悼基督”，是生命最崇高的时刻，他要人们忍住眼泪，凝视一种崇高之美，像我们应该凝视自己的死亡那样庄严。

耶稣的右手无力地垂下，但是，圣母的右手撑扶在他腋下，好像要他起来，好像是母亲最深沉的爱在呼吸：孩子，站起来！

然而耶稣沉睡着，他祥和宁静的脸上没有一点点痛苦的痕迹，他只是沉睡着，沉睡在母亲的怀中，回到了婴儿的最初。

《哀悼基督》像母与子的对话，《哀悼基督》又像一对青春男女陶醉在彼此的爱恋中。

人们被作品的美震慑住了。

但是，还是有人怀疑，耶稣钉十字架而死，圣母已是五十岁上下的中年妇人，为什么在这件作品里却如此年轻美丽。

米开朗基罗显然不在意“史实”。

他在意“美”，而不在意“逻辑”。

太逻辑的头脑通常是最看不到“美”的。

有人问他：为什么圣母那么年轻？

他说：圣母不是圣处女吗？没有经过“性”而受孕的处女，她永远不会老，像没有受孕的花，永不凋零。

米开朗基罗的回答很像诗句，也不逻辑，只有逻辑思维的头脑是听不懂诗句的。

《哀悼基督》是诗句，不是思维。

《哀悼基督》在基督信仰的心灵圣洁里置放了希腊俗世的肉身的爱，两种极端的美被融合在一起，有人看到了基督，有人看到了希腊，有人看到了两者不可分割的美，当然，也有人两者都一无所见。

《哀悼基督》使米开朗基罗取得了盛名，然而，他才二十五岁，他还有超过六十年的漫长生命的道路要走，他还有超过六十年的漫长创作的道路要走。

他绝不留恋盛名所在的地方。

一五〇一年春天，米开朗基罗重回佛罗伦萨，在这之前他接受了圣塔戈斯缇诺兄弟（Sant' Agostino）的委托，绘制了一件《耶稣下葬》图，画面以极雕塑性的立体光影表现人物的躯体，耶稣全身赤裸，两侧的人以布带托起尸体，正准备下葬。

文艺复兴时代的艺术家，虽然有自己专攻的专业，但是都涉猎其他领域的技艺。米开朗基罗是以石雕为专业，但为雕刻准备的人体素描基础和绘画是相通的，米开朗基罗在圣马可修道院也学习过人体解剖，对人体的骨骼肌肉有深入的科学知识。

米开朗基罗，作为雕刻家，对人体的观察特别着重在三度次元的立体性，与平面绘画的二度次元观察不同。因此，在他这件绘画作品中，人体光影明暗的对比特别明显，肌肉的立体性也具备雕塑的量体感，成为他对西洋绘画的重大影响。

这件《耶稣下葬》，不知道什么原因，并没有完成，只留下了淡彩渲染的底稿，目前保存在伦敦，成为米开朗基罗最早的平面绘画资料，也预告了他此后为西斯廷礼拜堂创作的《创世纪》伟大壁画的计划。

耶稣下葬 1500

《耶稣下葬》是米开朗基罗没有完成的作品，在平面绘画里传达了雕塑的力量。

大卫——破石而出

一五〇一年春天，暌违五年之久，米开朗基罗回到了故乡佛罗伦萨。

五年间，佛罗伦萨经历了巨大的变化。美第奇家族的开明统治受到冲击，保守的基督教多米尼加教会发动夺权，萨伏那洛拉执政四年，一方面指责中产阶级开明统治的放纵欲乐，一方面推动底层民众的民粹示威，以基督的爱为号召，形成新的统治。

一四九八年五月二十三日，萨伏那洛拉在“领主广场”受绞刑烧死。

领主广场是佛罗伦萨的市政中心，高耸的市政厅钟塔是整个城邦的最高象征。

黑色烧焦的尸体悬挂着，春天的风从亚诺河的方向吹来，春天，却如此寒凉荒芜。

佛罗伦萨等待着另一种醒悟，等待着另一个心灵上的春天。

一五〇一年春天，米开朗基罗回来了。

他走过广场，看到故乡的亚诺河依然如此流淌，从亚诺河边转过一道长廊就是领主广场。他站在广场，看着高耸的钟塔，看着市政厅悬挂着不同家族与工会的标帜。这些标帜的成员是组成城邦统治的骨干，当城邦发生紧急灾难，或是敌人攻击，或是火灾，这些标帜的成员，会听到塔楼钟声响起，他们立刻要在最短时间内聚集在领主广场，共同商议城邦大事。

经过中产阶级开明统治的推动，经过包括萨伏那洛拉在内对底层民众参政的呼吁，佛罗伦萨一步一步走向近代民主，由城邦工会和人民团体选举产生领袖“贡发隆尼”（Gonfaloniere），等于民选的执政官。

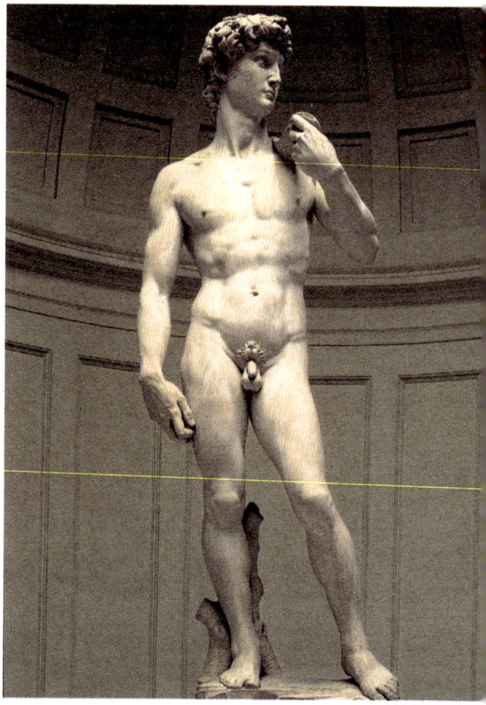

大卫 1501—1504

大卫一转头，似乎看到巨大的对手迎面而来。

一五〇二年佛罗伦萨选出的第一任执政官是索德里尼（Pietro Soderini），他正是米开朗基罗的好友，米开朗基罗的重回故乡，一般也认为与他的逐步执政有密切关系。

在剧烈政治党派斗争之后，佛罗伦萨需要新的鼓舞，需要新的整合的象征，把内斗的耗损转成一致对付外敌的凝结力量。

索德里尼想到了基督教旧约圣经里的大卫（David）。

大卫，一直到今天都是西方男性最普遍的名字。

这个名字却来源于古老希伯来犹太民族历史上的一位英雄。

大卫，在旧约圣经中的描述，是一名少年，因为族人屡受强大巨人歌利亚(Goliath)侵凌，大卫不顾自己力弱，挺身而出，毫无畏惧地站在歌利亚面前，以甩石器(Slingshot)击中巨人额头，歌利亚倒下，大卫以利刃切下了他的头。

这个古老的故事成为基督教世界不断重复的符号。大卫是年轻、勇敢、正义的代表。他成为以色列最著名的先王，又传说耶稣是他的子嗣血缘，使大卫变成西方世界集智慧与勇敢于一身的英雄。

佛罗伦萨也一直有歌颂大卫，以大卫作为城邦保护精神的传统。

一四四〇年左右，重要的雕刻家多纳泰罗创作了全身裸体的大卫，手持利剑，脚下踩着歌利亚的头，一副少年英雄的胜利者的姿态，这是文艺复兴结束中世纪基督教禁忌第一件男性裸体，非常少年、非常稚嫩的裸体。

半世纪之后，在饱受政治斗争、水灾、饥荒、黑死病侵袭蹂躏的佛罗伦萨，新的执政团队重新想到了“大卫”，可以重新以“大卫”作为城邦挑战一切困难的新的精神象征吗？

这个以索德里尼为中心的执政团队，最早想到了几个人选，包括极负盛名的达芬奇，以及桑索维诺（Andrea Sansovino）。

最后他们决定把雕刻大卫的工作交给二十六岁更年轻的米开朗基罗。

米开朗基罗在一五〇一年的八月十六日受到委托，同年九月十三日他开始工作。

米开朗基罗面对着一块白色的巨石。

这块石头高度有十四英尺（约四米），一四六四年就从亚平宁山上采切下来，置放在佛罗伦萨圣母百花大教堂的后院，搁置了近四十年。一块比米开朗基罗年长的大理石，纯白色，如此完整，不含杂质，好像等待着它的知己，等待着神奇的手，把这坚硬的石块打开，让大卫破石而出。

据说，米开朗基罗每一天走到大教堂，凝视这块石头，抚摩这块石头，他二十六岁却长满粗茧的大手，好像要感觉石头从远古时代传来的巨大力量。

他作了一些素描，原来大卫是胜利者，脚旁有歌利亚的头。

“胜利”只是打败别人吗？

米开朗基罗思考着。

不，他修改了素描稿，他去掉了歌利亚的头，他不要大卫摆出肤浅嚣张的胜利者的姿态，他要大卫成为自信而沉稳、永远的挑战者。

大卫一转头，似乎看到巨大的对手迎面而来，他全身肌肉紧张警戒起来，他准备一次生死搏斗，在战斗之前，一切都还没有决定，不知道输赢的刹那，很快要分出输赢的刹那，生命在那一刹那，铆足全力，在此一击。米开朗基罗把生命“胜利”的意义置放在“赢”之前，而不是“赢”之后。“赢”之前，才是生命的全部备战状态，是自己潜能极限的准备，他不在意结果，结果的“输”“赢”对他意义不大。

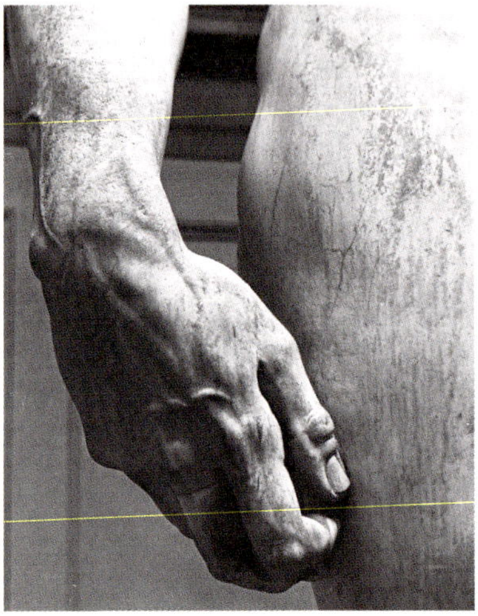

大卫（局部）

暴起青筋的右手，血脉偾张，是准备生死一搏的手！

大卫雕像素描稿

大卫不是一座雕像，大卫改写了生命的价值观点。

大卫不再是稚嫩天真的少年，他长成了足以担负一切难度的健壮的身体。

他的左手搭在肩上，右手下垂，但垂下的手肘到手掌，布满了暴起的筋脉血管，米开朗基罗让大卫在挑战中血脉偾张，也让观看者一起感觉到挑战生命极限时的震撼力量。

二十五岁完成《哀悼基督》时的宁静与淡淡哀愁的美不见了，二十六岁的米开朗基罗在《大卫》里展现了惊涛骇浪的激动力量。

应该很近地去凝视大卫的脸，凝视眉心纠结起伏的情绪变化，凝视双眼之间透露出的深邃的恐惧。是的，大卫在巨大的灾难前看到生命本质的恐怖，他不是英雄，他是带着凡人的恐惧走向挑战的临界边缘。

“输”与“赢”只是自己挑战的放弃或坚持。

大卫的躯体，在面对生命灾难的现场，汹涌澎湃，激荡起生命的狂涛；又如此安静，没有“输”“赢”，只有一心一意的专注静定。

一五〇四年一月二十五日，米开朗基罗完成了这件举世赞誉的杰作，他二十九岁，又一次攀登了生命的高峰。

由执政官索德里尼召集了二十九人组成了审查委员会，审查米开朗基罗的新作，决定是否可以置放在领主广场市政厅大门前，作为城邦最重要的精神标帜。

这二十九人的委员名单，今天列出来仍然使人大吃一惊，几乎包括了当时意大利最精英的一批人文学者、画家、金工木雕与石雕大师。

我们随便举几个最知名的例子，这个名单中有米开朗基罗前一辈的大艺术家：利比（Filippino Lippi）、波提切利（Sandro Botticelli），有拉斐尔（Raphael）的老师佩鲁吉诺（Pietro Perugino），竟然还有，米开朗基罗一生最大的竞争对手——达芬奇。

一个杰出的精英团队评审一件杰出的新时代的艺术作品。

大卫像通过了审查，决定置放在市政厅大门右侧。

运送的工作，从百花大教堂到领主广场，今天走路不到十分钟的距离，却花费了超过四十个工人的劳动，从五月十四日开始搬运，作品太大，打破了教堂后院的门，四天之后才运送到达领主广场。

这个置放工作一直到六月八日才完成，大卫昂立在高高的基座上，傲视世界，等待米开朗基罗做最后的一些修饰。

每天进出市政厅的执政官索德里尼，看着城邦的新精神标帜，有一点得意，米开朗基罗是他的好友，他觉得自己的选择没有错，但是，作为执政官，他觉得还是应该有一点批评的意见，表示自己对艺术的见解。

他跟正在工作的米开朗基罗说："好像鼻子大了一点。"

米开朗基罗说："是吗？"

他狡猾地抓了一把石灰，爬上工作的高梯，假装用刀修改了一下鼻子，撒下一点石灰屑，然后向下面的执政官说："这样好一点了吗？"

执政官满意地点点头离开了。

米开朗基罗并没有修改鼻子，他当然对自己的专业充满自信，不会随便为一个位高权重却外行的人的一两句话糟蹋自己的作品。

大卫一直挺拔地站立在广场上，这个思考过民主意义的广场，这个聚集过激情群众的广场，这个烧死过不同意见对手的广场，这个选举新执政领袖的广场，大卫站在这里，仿佛标举着新的生命价值与城邦精神。

无论烈日炙晒的夏日，无论百花盛放的春天，无论细雨连绵或大雪纷飞，无论秋风吹起满城落叶，或鸟鸣啼叫的黎明，这个雕像都安静站立着，凝视着城邦，成为真正的守护者。

他不是艺术品，他不是收藏在博物馆的精致的珍品，他站立在刮风下雨的广场，为整个城邦日日夜夜守护着生命的价值。

一八七三年，将近三百七十年后，这件雕刻太珍贵了，才从领主广场移到美术学院收藏，成为博物馆的展品。

米开朗基罗的《大卫》原本不是为博物馆制作的，他必须挺拔站立在人民来来往往的广场，才彰显出真正的作品意义。

对手相遇——达芬奇与米开朗基罗

一五〇〇年，达芬奇四十八岁，完成了米兰《最后的晚餐》巨作，回到佛罗伦萨，一年之后，与二十六岁，刚完成《哀悼基督》的米开朗基罗相遇，历史上两位无与伦比的大艺术家相见了，相差二十三岁。达芬奇在创作的巅峰，青年的米开朗基罗，如初生之犊不畏虎，挑战着他生命中唯一视为对手的达芬奇。

达芬奇创作了优雅娴静的圣母圣婴与圣安妮像，在佛罗伦萨展出，引起大众赞叹。

青年的米开朗基罗似乎受到了影响，他也创作了题材类似的圣母圣婴作品。

在创作《大卫》的同时，米开朗基罗绘画了几件圣母圣婴素描，也创作了蛋彩画作品《圣家族》圆图。

现在收藏在佛罗伦萨乌菲齐美术馆的《圣家族》是一件圆形的作品，也是米氏少见的一件蛋彩画作品。

圣家族 1503

《圣家族》是米开朗基罗少见的一张蛋彩画。

蛋彩画是以鸡蛋白做调料，调和矿石色粉，画在木板上或画布上。这种材料的作品流行于意大利，一直到十六世纪以后，才被法国北方传入的油画材质取代。

米开朗基罗在圆形构图中央画了个圣母，圣母跪在地上，上半身向后转，双手高举，好像正要承接从后方约瑟手中传递来的圣婴耶稣。

和达芬奇不同，米开朗基罗的圣母有一种男性的阳刚，手臂的肌肉结实壮硕，米开朗基罗似乎在对抗达芬奇极阴柔幽美的女性美学，他在同一主题里赋予了阳刚健朗的男性美学特质。

比达芬奇年幼二十三岁，米开朗基罗意识到不要活在前辈大师的阴影下，他没有模仿达芬奇，他以达芬奇做背叛的对象，建立自己独特的风格。

达芬奇与米开朗基罗，是对手，也是知己，创作的领域，能够成为对手，也才可能是知己。

圆形《圣家族》图的背景，是与主题毫不相干的五名裸体男性，展示着他们自由健康的身体，非常希腊精神的炫耀，却成为基督教主题绘画的陪衬。

同一个时间，米开朗基罗也创作了两件圆形的圣母圣婴浮雕，同样是非常达芬奇式的主题，却仍然表现着米开朗基罗自己的风格。

一五〇三至一五〇五年，他创作了《布鲁日圣母》（*Bruges Madonna*），可能作为他一系列对抗达芬奇“圣母圣婴”杰作的回声。

然而两位巨匠的真正对手戏却是被共同委托创作佛罗伦萨市政议事大厅的巨幅战役图。

圣母圣婴浮雕 1503

五十岁时达芬奇创作了伟大的《圣母圣婴图》，二十七岁的米开朗基罗受到激发，也创作了一系列同样主题的圆形浮雕作品。

圣母圣婴浮雕 1503—1505

圣母圣婴素描 1503

布鲁日圣母 1503—1505

《布鲁日圣母》，米开朗基罗又回到了古典传统的优雅美学。

市政厅入口两侧有两间议事大厅，后来有五百人的议事在此举行，因此也被称为“五百人厅”。

当时的执政团队都窃窃私语，达芬奇与米开朗基罗，两位历史上的大师，如果在同一个空间留下相互辉映的作品，将是多么重要的历史事件。

他们希望两位历史巨匠为佛罗伦萨留下两件不朽的战役图。

米开朗基罗负责卡西纳（Casina）战役，达芬奇负责昂加里（Anghiari）战役，描述与米兰的战争。

一五〇三年左右，五十一岁的达芬奇，与二十八岁的米开朗基罗同时开始工作。

他们都知道对手是历史上唯一的劲敌。

他们各自作了许多素描底稿。

达芬奇的《昂加里战役》，画面上马匹嘶叫奔腾，在战役的巅峰，军士怒吼号叫，仿佛天翻地覆。

米开朗基罗思考着他的《卡西纳战役》，他要如何战胜达芬奇，这可敬可畏的对手。

卡西纳战役是佛罗伦萨战胜比萨（Pisa）的战争，战役的主帅是多纳帝（Manno Donati）。

据说，在一场大战之后，军士筋疲力尽，卸去了盔甲，裸体在亚诺河中沐浴休息。

忽然间，多纳帝发现比萨军队发动突袭。

多纳帝紧急传令，号召军士立刻整军待战。

米开朗基罗在这故事里找到了他一贯的美学坚持，生命总是充满突发的危机，在危机中瞬间备战的肉体，正是最具备饱满生命力的肉体，也是米开朗基罗认为最美、最动人的肉体。

米开朗基罗速写了裸体军士的偾张纠结的肌肉，那些在瞬间紧张起来的肌肉，如一条一条顽强有力的蛇的扭动，把战役紧张的主题推到无与伦比的高潮。

达芬奇创作的战役是“高潮”本身，米开朗基罗抓住的是“高潮”来临前刹那的准备挑战的激动。

两人的草图都展出了，许多人围观。

许多人认为年轻的米开朗基罗在这一次竞争中赢过了他的对手。

许多人认为米开朗基罗创造了“战争”最震撼人心的片刻。

我们无从比较，因为，事实上，两件作品都没有完成，留下空白的墙壁，作为历史上永恒的纪念与遗憾。

米开朗基罗，在许多数据中记录，对年长他二十三岁的达芬奇是十分不敬的。

他总是嘲讽达芬奇，嘲讽他华丽的衣着，嘲讽他永远优雅细致的绅士风度，嘲讽他许多没有完成的作品。

或许，心灵深处，米开朗基罗憎恨自己，面对一个无法超越的对手，一座翻不过的大山，他——自己也是一座大山，有着不可理解的压抑与郁怒。

当他当众羞辱达芬奇时，达芬奇默默不语，他仍然优雅地向年轻的米开朗基罗致敬，转身离开。

达芬奇似乎知道这是历史的对手，他似乎知道“后生可畏”，这个看来粗鲁无礼的暴怒的米开朗基罗，一定是达芬奇心中真正想致敬的对象。

懂得向对手与敌人致敬，才是历史上真正的强者吧！

卡西纳战役（摹本）

米开朗基罗的《卡西纳战役》原作佚失，从摹本中看出他借裸体士兵的身体，表现战

昂加里战役（未完成） 1504

达芬奇的《昂加里战役》，表现战争中人仰马翻的激烈厮杀场面。

陵墓悲剧

一五〇三年，曾经在梵蒂冈接触过米开朗基罗的罗维里主教被推举为新任的教皇朱利叶斯二世。

朱利叶斯二世是野心勃勃的统治者，他看到基督教帝国在衰颓中，旧的保守信仰不足以应付新的人文思潮。

他来自权贵家庭，自己也深受希腊古典影响，热衷于收藏古希腊罗马艺术品。

他深深知道：必须以古典精神结合人文思想重整保守落伍的梵蒂冈。

这个野心勃勃的新教皇，懂得玩弄权术，一般当时的人认为，他当选教皇，是因为“许多人恨他，但更多人怕他”。

他从一五〇三年执政，到一五一三年逝世，邀请了许多知名艺术家为梵蒂冈工作，包括建筑圣彼得教堂的布拉曼特（Bramante），包括了画家拉斐尔，在西斯廷礼拜堂画下《雅典学派》这幅杰作，当然，更重要的是他邀请了米开朗基罗到罗马，为他设计陵墓，也创作了举世闻名的《创世纪》壁画。

朱利叶斯二世的野心勃勃包括了他要预先为自己准备可以传世不朽的陵墓。

一五〇五年三月，教皇任命米开朗基罗进行这个庞大的计划。四月，米开朗基罗兴致勃勃，亲自到卡拉拉山挑选最好的石材，同时开始伟大的陵墓构想。

这个庞大的计划包括四十座巨大石雕，配置在建筑的龛拱之间，构成一个宽七米，高十米，分成三层的四面建筑体。

庞大的计划却变成米开朗基罗从来未曾遇到的负担，他的陵墓计划拖了十几年，没有完成，只留下单独的巨大石雕，摩西像，囚犯像。一些米氏最重要的作品，原来都是这庞大陵墓计划的一部分。

他为了陵墓计划耗尽心血，花完了所有的预算，但是野心勃勃的教皇除了艺术，当然还有许多其他的事要做，要打仗，要修建教堂，要购买昂贵古代艺术品文物，都要花钱。

米开朗基罗一次一次要求见教皇，要求申请经费，教皇一次一次拖延，一次一次拒绝，米开朗基罗忍无可忍，在一五〇六年四月十七日断然不告而别，丢下陵墓计划，在那个触怒教皇可以被逮捕处死的年代，盛怒的艺术家丢下难堪气急败坏的教皇，独自出走，回到了佛罗伦萨。

米开朗基罗自己说这是一次“陵墓悲剧”，但是，无可否认，他因此接触到历史人格同样顽强的教皇，两人的牵扯争斗，各自激发出惊人的生命强度。

一五〇六年年底，教皇领军征战博洛尼亚，胜利之后，气焰高涨，命人通知米开朗基罗前来道歉。

米开朗基罗见了教皇，跪下行礼，却傲然没有任何致歉表情。旁边的侍臣乞求教皇原谅米开朗基罗的“无知之错”，教皇盛怒，大骂这些侍臣，赶走了他们，叫嚣着说：你们才“无知”！

教皇野心勃勃，但是，也雄才大略，他知道谁才是他帝国应该重视与敬重的人，他赶走只会阿谀奉承的无能小人，他不断激怒米开朗基罗，却也使这位生命力顽强的艺术家不断创作出更惊人的不朽杰作。

拉奥孔与圣马太

米开朗基罗所进行的教皇朱利叶斯二世的计划断断续续，一直到更晚的一五一五年他四十岁前后所创作的摩西像，以及六件一组的“囚犯”巨作，都仍然是这一巨大陵墓计划延续下来的一部分。

朱利叶斯二世不只在人格特质上给予米开朗基罗一生强大的影响，同时，他对古代希腊罗马文物艺术品的收藏与挖掘，也深深影响了米氏。此后米氏的创作风格有了重大的改变。

严格说起来，米开朗基罗一直到制作《大卫》像，仍然比较谨守文艺复兴的工整法则。

米开朗基罗有强烈的粗犷阳刚之美的追求特质，但是，他一贯遵守着文艺复兴古典美学的细致、均衡、对称，《大卫》像比《哀悼基督》多了一些对规矩的叛逆，但

圣马太 1504

米开朗基罗在三十岁以后出现一些大刀阔斧劈出来的粗犷人形。

仍然有精致的工法限制。

米开朗基罗在三十岁之后，出现了明显风格的转变，一些大刀阔斧劈出来的粗犷人形，扭动在石块中，略略具备人的雏形，完全不表现细节，却大气浑成，有着磅礴的力度，其中最早出现的作品应该是《圣马太》（*St. Matthew*）。

“圣马太”是耶稣十二门徒之一，留下了影响后世重要的《马太福音》。

这件作品或许与历史上或宗教上的“圣马太”都已无关。

圣马太原来是一名税吏，终日与金钱为伍，后来追随耶稣，成为殉道的门徒。

当我们面对米开朗基罗的这件作品，其实看不到任何与“圣马太”有关的故事联想。

米开朗基罗彻底抽离了艺术创

作里的“故事性”。除了左手隐约拿着一本《福音书》，马太没有任何特征。

他把“圣马太”还原为单纯的“人”。

人的躯体在形成、酝酿，人的躯体在石块中扭动，仿佛与不可见的压迫对抗，努力要从束缚中解放出来。

米开朗基罗在作品里赋予雕塑一种全新的革命。这一类的作品置放在博物馆，一直到今天都具备大胆的实验性，也都是足以和当代最前卫艺术相匹敌的一种表现。

米开朗基罗为什么要这样表现？

他在三十岁前后如此巨大的转变来自于哪里的影响？

我们很明显看到他在这一段时间浸染在朱利叶斯二世的古希腊罗马收藏作品中，最著名的例子就是一五〇六年新发现的《拉奥孔》（*Laocoon*）。

《拉奥孔》至今还是梵蒂冈博物馆最重要的收藏，这件古代大希腊化时代杰出的雕刻，表现父子三人被天神惩罚，三具充满张力的赤裸体，被巨蟒纠缠，人的躯体透露出与命运挣扎的恐惧，顽强的对抗，仿佛是生命临界时刻最悲痛的呼号。

一五〇六年一月十四日，《拉奥孔》在罗马一处遗址中被挖掘出来，米开朗基罗正在为教皇朱利叶斯二世工作，立刻接获通知前去参观。

米开朗基罗完全被震慑住了，他看着刚从地下挖掘出来的《拉奥孔》，看到命运悲剧中人的顽强，看到生命绝望的号叫，看到两千年沉埋在土中的时间的斑驳，看到毁损与残破，看到在化为乌有之前存活的坚持。

米开朗基罗仿佛看着宿命中的自己，他或许觉得，这是他两千年前自己做过的作品，再次相遇，热泪盈眶。

米开朗基罗的作品风格明显转变了，他放弃了许多修饰的细节，他让石块本身沉重的力量说话，他让刀与斧击打敲凿的顿挫的痕迹说话，他把雕塑还原为雕塑，雕塑就是石块的故事，有人问他：什么才是好的雕刻？

他回答说：好的雕塑，要从山上滚下，该坏的部分都坏了，才是好的雕刻。

米开朗基罗最真心的语言，如此难懂，当时的人面对这样的作品，觉得还没有做完，数世纪以来，许多博物馆仍然标志着“未完成”三个字。

这些是“未完成”的作品吗？

还是米开朗基罗选择了一种大胆的革命，使创作持续在记录生命的过程，而不是在意形式上的结局。

达芬奇与米开朗基罗最相似的地方，就在于他们都留下不少“未完成”的作品。“未完成”似乎成为他们不断挑战极限的持续动力。

圣马太（局部）

劈在石块上刀、斧、凿的斑斑痕迹，成为米开朗基罗的新雕塑美学。

西斯廷礼拜堂湿壁画

许多记录上显示，米开朗基罗与教皇朱利叶斯二世的冲突关系。米开朗基罗被数次中断教皇陵墓的计划，拿不到预算，得不到支持，种种不顺遂的过程，都是因为一个人的作梗，那就是圣彼得教堂的建筑师布拉曼特。

布拉曼特在米开朗基罗的亲自口述，以及他人著述的米氏传记里，都被描述为一个充满嫉妒心、心胸狭窄、以阴谋陷害他人的角色。

艺术家与艺术家之间或许有他人难以了解的复杂个性。米开朗基罗本身也对达芬奇充满敌意，他多疑与易怒的性格也使我们谨慎评估他对布拉曼特的负面看法。

布拉曼特当时是教皇身边红人，负责整个大教堂改建工程，也负责许多罗马城重建的都市计划公共工程计划，牵涉到巨大经费预算，或许与米开朗基罗的陵墓计划是会有利益上的实际冲突。

更值得注意的是教皇身边的艺术家群，明显有派系上的斗争。米开朗基罗属于佛罗伦萨派系，这一派的艺术家长久以来表现杰出，曾经受历任教皇重视。

而布拉曼特则来自乌尔比诺，在北方米兰工作过，初到罗马，起初很受佛罗伦萨派系艺术家的排挤，但布拉曼特很懂交际，结交了不少非佛罗伦萨派系的艺术家，共同对抗势力庞大的佛罗伦萨派，赢得了教皇执政团队的信任，取得了许多重大工程案件，因此当然对佛罗伦萨派有防范之心。

米开朗基罗却一口咬定布拉曼特是出于恶意的阴谋，从陵墓计划的搁置，一直到接手西斯廷礼拜堂天篷壁画制作，他都认定是布拉曼特一手制造的阴谋陷害。

史家的说法不一，我们看到了同一个时代的精英，在不同创作领域，形成对立，也形成激荡。

我们关心的，也许应该是作品本身，无论如何对立冲突，无可否认，布拉曼特是西方历史上最伟大的建筑师之一，米开朗基罗是最伟大的画家，他们同时在罗马工作，留下人类文明史上不朽的杰作，或许是比任何“八卦”更有力的雄辩吧。

在一切的是非冲突之上，教皇朱利叶斯二世更表现出他的精明睿智。

他一定听到各方面的意见，听到艺术家之间恶意的彼此攻击，但是，他做了决定，他把教皇私人进行仪式的最重要的礼拜堂的壁画工作交给了米开朗基罗。

西斯廷礼拜堂是一座长方形的建筑，夹在梵蒂冈教皇宫殿与圣彼得大教堂中间，是教堂举行重要弥撒仪式的地方，选举新任教皇的会议也在这里举行，可以说是梵蒂冈所有高阶层神职人员的会聚所，教皇也常在这里接见各国重要国王大臣。

这座等同于教皇私人会客室的小礼拜堂在一四七七年修建，修建的决策者是教皇西克斯图斯四世（Sixtus IV），也就是朱利叶斯二世的伯父，他一手提拔自己的侄子，培养他掌权，继任教皇。

这座小礼拜堂形式特别，为了符合传说里古代所罗门王的圣殿，长度有三十九米，宽十三米，高度有十九米多。墙的厚度有三米，显然，不只有礼拜仪式及会客的功能，也同时是维护教皇及重要权贵安全的秘密城堡。

小礼拜堂在十五世纪八十年代建筑完成，教皇西克斯图斯四世邀请了一批艺术家在墙壁绘制壁画，其中包括著名的波提切利，以及米开朗基罗的老师基兰达约。天篷的部分依据当时的习惯，以宝蓝色做背景，仿佛天空，上面缀满金色的点点星光。

朱利叶斯二世在一五〇三年继任教皇，这个小礼拜堂因为地基下陷，天篷出现裂痕。

教皇立即派人稳住建筑结构，做了很多弥补的工作，但天篷上原来美丽的蓝色星空出现了很难补全的补土痕迹。

朱利叶斯二世因此想到在天篷壁画上重新绘制圣经故事，他想到了米开朗基罗。

米开朗基罗在一五〇八年春天接下了教皇的委托。他站在小礼拜堂中，仰望十九米高的天篷，看到宝蓝色的美丽星空，看到星空出现破裂的隙缝，好像宇宙初始。他三十三岁，却远比实际年龄看来衰老许多，好像从古老的洪荒活到现代，他思索着星空，思索着“创世纪”的亘古之初，如同旧约圣经中的描述，混沌中有了光，有了日与夜，有了陆地与海洋……他凝视着三十九米长，十三米宽的巨大空间，这是一张无与伦比的空白，达芬奇的《最后的晚餐》只有十米长，五米高，米开朗基罗战栗着，他要在这巨大的空间中如神一般开始创造……

创世纪

基督教《圣经》分新约与旧约两部分，传达的情感与信仰也非常不同。

新约是耶稣宣示的道理，充满历史的、人性的爱与温暖。

旧约则不同，旧约是希伯来民族古老的神话，是洪荒之初的宇宙成形的寓言，充满了巨大的创世的张力，很难以逻辑理性思考。

旧约像初民凝视着混沌的宇宙、雷火、闪电、大海啸与大地震，生命在恐惧中活着，经验着不可知的神的救赎或惩罚，恩宠或灾难都没有原因……

米开朗基罗是熟知旧约的，他年轻时听过萨伏那洛拉的布道，他隐约感觉到那严厉的罪与罚的宣告中有旧约传述下来的初民的惊恐。

人类在走向文明吗？人类在走向理知吗？

米开朗基罗似乎在西斯廷小礼拜堂重新思考起旧约里的混沌、黑暗、郁怒，宇宙是一片茫昧的生命最初的颤动。

宇宙中有了光，有黑暗，有了日与夜的交替，混沌中分出了最初的秩序，仿佛生

创世纪 1508—1512 西斯廷礼拜堂的天篷壁画是人类历史上最伟大的艺术创作。

与死，仿佛春与秋，仿佛盛放与凋零，仿佛升起与降落，没有任何原因，只是一种虚惘的轮回……

米开朗基罗的《创世纪》，似乎是在用异教的思维诠释基督信仰，他重回旧约，重回耶稣还没有诞生之前远古的茫昧混沌。

一个巨大的人体浮在空中，上方用大笔刷过浅色调，下方刷过暗色调，非常抽象地代表了光明与黑暗，仿佛东方说的“上清为天，下浊为地”，宇宙有了阴阳。

天篷被米开朗基罗分为九个长方形空间，一大一小，交错着，仿佛乐章的节奏，当我们抬头仰望，我们可以看到九个长方格连成的一条长河，时而宁静，时而澎湃。

九个长方格分成三组，每一组三个空间。

第一组顺序是 1. 宇宙初开　2. 创造星球　3. 创造海与陆地

这一组的三个画面都是宇宙的创造，是从无到有的最初的创世纪故事。

画面上都只有一个长须的中年男子，浮沉在空中。

第一个画面，他好像长睡初醒，懵懂中翻身，宇宙混沌中间有了秩序，有了黎明的光，有了黑夜。

第二个画面，他仿佛远远飞驰而来，以极大的权威呵斥星球出现。星球出现了，他也耗尽了所有气力，转身远远离去。

米开朗基罗在同一个空间里置放了不同的时间，星球创造之前，星球创造之后，他以极自由的方法表达着创造的大胆与活泼生命力。

第三个画面，又回到较小的空间，神浮在空中，分开了陆地与水，分开了天与地。

这三个画面，两小一大，构成“宇宙初始”，很像《易经》里的阴阳乾坤的定位。

创世纪——宇宙初开（局部放大）

“宇宙初开”，混沌中有了最初的光，米开朗基罗以人体表现出开天辟地的力量。

创世纪——创造海与陆地

神浮在空中，上清为天，下浊为地，天与地好像刚刚苏醒。

创世纪——创造星球

神在虚空中飞行，伸出右手，命令星球出现，天上有了日月星辰，神完成了宇宙创造，转身缓缓离去。

湿壁画

米开朗基罗在西斯廷礼拜堂的作品，材料上的归类是“湿壁画”（Fresco）。

湿壁画是意大利的绘画传统，和欧洲北方的油画材料不同，是以“水”调和色粉在未干的壁面上作画。

作画的过程，其实非常像工匠。米开朗基罗自己设计了一个大约十八米高的鹰架，攀爬在这么高的鹰架上（差不多是六层楼的高度！），还要驮运大量的灰泥。

米开朗基罗聘请了一批故乡佛罗伦萨的壁画助手，帮助他清理壁面，清除掉旧壁画的残迹，涂上大约两公分厚的灰泥底层，把墙壁处理成平滑的表面。

但是“湿”壁画，顾名思义，必须在“湿”的壁面上作画，因此，米开朗基罗先作完了素描草稿，把草稿上图像的轮廓的线条打上钉孔，用白粉摹印在湿的壁面上，接着，就必须在一天之内，趁壁面没有干透，快速用水性颜料作画，因为壁面是湿的，颜料才会被吸收，渗透固定在灰泥中，只要壁面一干透，颜料就吃不进壁面，只浮在干硬的表面，很容易脱落。

湿壁画的制作过程因此注定存在着许多“工匠”的技术、材料，甚至体力的劳动，与一般绘画的精致优雅性质有所不同。

米开朗基罗，放掉了敲打岩石的斧、凿，拿起调和灰泥的镘刀，完全像工匠，站在鹰架上，仰着头，把湿软的灰泥涂抹在处理好的平滑壁面上。他必须计算一天之内可以画完的大小面积，一旦灰泥涂抹好，他要抓紧时间，在灰泥未干之前，快速用颜料完成作品。

这种速度的冲刺，好像给他一种创作的亢奋。站在高高的鹰架上，他完全像一个孤独的君王，材料的限制，短暂的时间，他不能犹疑，不能修改，像中国水墨画的笔触，千锤百炼，胸有成竹，下笔时才有大气浑成的准确。

米开朗基罗的壁画，也像他的雕刻，大刀阔斧。他不屑于细节斤斤计较的修饰，他使色彩与笔触如波涛汹涌的海涛，他要使站在礼拜堂下面，距离十九米远的观看者，可以感受到色彩与笔触的力量；这么高的天篷、这么远的视觉，细节变得没有意义，他摆脱了所有琐碎的细节部分，使图像成为大块面的色彩与光影纠缠在一起的强大力量。

那样的高度，五百年来，使所有在下面的仰望者从心底震颤起来。“创世纪”，宇宙的初始，所有的生命都聆听着神的呼唤，所有的生命一刹那从沉睡中醒来，天地苏醒，日月苏醒，陆地与海洋苏醒，然后，在最巨大的呼唤中，人要苏醒了……

米开朗基罗创造了第一个人类——亚当，亚当苏醒了，从懵懂中醒来，一个健康壮硕的男体，如此壮硕，却纯真一如婴孩，在天地的子宫中孕育，如同旧约圣经中说的：原来是一堆泥土，神赋予他生命，神以自己的形貌创造了人。

米开朗基罗以大笔触勾画出人类的初始，他如同神一般有力量的手，赋予了湿壁画的泥土永恒不朽的生命。

人的初始与犯罪

米开朗基罗在九段连续故事的中段，以“创造亚当”“创造夏娃”以及“伊甸园人类原罪”构成《创世纪》巨作的第二主题。

或许对米开朗基罗而言，在宇宙的创造中，人类的出现是最动人心魄的画面。人类的出现，比光的出现，比日月的出现，比大地与海洋的出现更具备生命的意义，也更具备创造的意义。

他苦思构想第一个人类出现时的庄严。

神以巨大的威力创造了宇宙天地，但是，当他创造了日月天地，依据旧约的传述，他在自己创造的万物中觉得孤独，因此他以自己的样子创造了人。

神也觉得孤独吗？神也在寂寞中需要陪伴吗？

创世纪——创造亚当

亚当是西方美术史上最动人的符号。他全身赤裸，如此雄壮，但是又单纯如同婴孩。
他右手支撑着上半身，好像正要起来。他刚刚苏醒，转头看着给予他生命的神。
神的手伸向他，亚当顺从地接受生命，接受爱与关心。在这样饱满巨大的雄壮肉体里，涌动着生命最初的渴望。

亚当原来是一块尘土，因为爱，他颤动起来，有了生命。亚当背后大笔挥洒的蓝色与绿色色块，看出米开朗基罗毫不犹豫的笔触，大气浑成。
达芬奇创造了女性柔美的极致，米开朗基罗则创造了男性阳刚之美的极致。

在十八米高的鹰架上的米开朗基罗，赶走了很多助手，他孤僻的性格，难以忍受愚庸的人的干扰；他无法忍受他人的错误或懒惰，他工作起来可以不吃不睡，创作的狂热燃烧着他，如同烈焰，他对逼迫他工作的教皇朱利叶斯二世也一样叫嚣咆哮，没有任何卑微的妥协。

他，高高站在鹰架上，教皇在他的脚下，如此渺小，他才是真正的君王，不会受任何人指使命令。

他如同神，孤独地在他的世界中，如此孤独，他要人陪伴，不是现世中愚庸的附和者，他要以最大的爱创造最完美的伴侣。

亚当出现了，躺卧在大地上，右手支撑上身，凝视着远方；左手向前伸，无限等待，无限渴望的手，仿佛正等待着勃起的生命，等待着另一只手的触碰，使生命颤抖起来的触碰。

神从远处缓缓飞翔起来，四周围绕着天使，拉起被风膨胀起来的衣袍，须发苍苍，好像在宇宙的创造里耗尽了最初的力气，如今，他只剩下最深的爱，用这样的凝视，用这样安静的凝视，渴望着伴侣的出现，伸出右手，仿佛好几世纪以来，所有的等待都在指尖上，一股生命的暖流源源贯注，最轻微、最细腻的生命的触碰，亚当苏醒了，宇宙的混沌中有了人，有了肉体与性灵的爱与美。

无疑地，西斯廷《创世纪》壁画中最惊人的杰作是“创造亚当”，这个符号成为世界性的象征，手指与手指触碰，隔着天与地的距离，如此遥远，但只要有渴望，便有了爱。

创世纪——创造夏娃

神用沉睡时亚当的肋骨创造了第一个女人“夏娃”。

电影《E.T.》里，人类与外星人的接触用了同样的手势，米开朗基罗创造了永恒不朽的“爱”的符号。

亚当的健硕男体是米氏人体美的典范，他以湿壁画特有的快速画法，抓住大块肌肉明暗的传达，使亚当的身上流动着华贵莹润的光。肉体如此壮硕饱满，精神上却安静内敛一如婴孩，一种无欲念的纯真，结合着希腊异教的肉体之美，与基督信仰的性灵纯净。米氏再一次完美体现了“新柏拉图主义”哲学在希腊与基督，在俗世与天国，在肉体欲望与性灵升华之间绝对平衡和谐的追求。

紧接在“创造亚当”之后，“创造夏娃”一幅，不仅尺寸较小，在力度上显然也弱很多，米开朗基罗全心关注在男性的肉体上，对“创造夏娃”少了很多关心。

夏娃初得肉身，有一点卑屈，屈膝合掌，仿佛向神谢恩，亚当沉睡一旁，也似乎此事与他无关。

伟大的创造者不会掩饰他真实的爱与关心，米开朗基罗如此坦然于他的“性别歧视”。

中段的《创世纪》，以人类的创造开始，也以人类的堕落结束。

在中段的第三幅作品中，米开朗基罗以“伊甸园”为主题。画面中央是“伊甸园”的知识之树，伊甸园中只有这棵树的果子不能吃，吃了就会有知识，有了知识就失去了“无知的幸福”。

旧约圣经精彩地隐喻了人类对神的禁令的背叛。

知识之树上缠着蛇，蛇是恶魔，引诱人类犯罪，蛇也是人自己心中底层的欲望，渴望背叛，渴望出走，渴望犯罪……

米开朗基罗以同样一个画面空间表现犯罪前的人类与犯罪后的人类。

一边是亚当夏娃被诱惑，另一边是亚当夏娃被逐出伊甸园。天使以木棍驱赶，亚当夏娃羞愧恐慌，米开朗基罗沿袭马萨乔的形象，使人类以犯罪的骄傲背叛神，以犯罪的自信完成自己的解放。

人类不会是受豢养的宠物，人类宁可从养尊处优的伊甸园出走，证明自己存在的价值，人类不是神的宠物。

创世纪——伊甸园人类原罪

伊甸园里亚当与夏娃偷吃了“禁果”，违背了神的禁令，因此被天使驱赶，逐出伊甸园，人类承担了罪与罚的命运。

灾难与救赎

人类背叛之后，引发了“惩罚”“灾难”“救赎”等第三个主题。

米开朗基罗以旧约“诺亚”（Noah）这个人物为主题阐释人类在灾难中的信仰，救赎与沉沦。

神创造了人类，人类却背叛了神，亚当夏娃被逐出伊甸园，繁衍了子孙，子孙却都带着祖先的“原罪”（Original Sin）。

神对人类的犯罪充满怒意，一心要惩罚人类，决定发起大洪水，淹没消灭所有的人类，以示惩罚，也洗清他创造的天地。

希伯来人相信大洪水是神的诅咒。

但是信仰可以获得救赎，诺亚正是充满信仰的人。因此神派遣使者通知诺亚，在大洪水来临前，赶造方舟，并且把大地上的一切生物，各择一公一母，放入方舟，以备大灾难后交配繁殖。

米开朗基罗在第三个主题里选择了三个画面:“诺亚献祭”“大洪水”“诺亚醉酒”。

“诺亚献祭”中白胡须的诺亚在祭台上，祭台前方有裸体男子，有的抓住祭祀的牺牲羔羊，有人抱着木柴，似乎要准备建造方舟。

米开朗基罗以抽象拼图的方法组织出诺亚在信仰虔诚中获救赎的故事。

但是人类真的有救赎的可能吗?

第三段的三幅作品，最初强调的是第二幅“大洪水”。

米开朗基罗一向喜好以单一或不多的人体构成单纯的视觉力量。这或许来自于他雕刻的经验，雕刻总是不擅长故事叙述，而往往以单一人体作为力量的象征。

在“大洪水”中，米氏却一反常态，营造了众多人物构成的巨大场景。

米开朗基罗不喜欢风景的描述，他没有夸张洪水的惊涛骇浪，画面上的“惊涛骇浪”事实上是人类自己的惊慌与恐惧，是人类自己内心深处罪的恐慌。

画面有“方舟”，方舟却很遥远，米开朗基罗似乎并不相信神的救赎，他在画面中重复着人与人肉身的依靠、拥抱、背负、牵连、扶老携幼，那长长的在灾难中的流亡队伍，好像是依靠着身体与身体的互相支持，通过恐惧，通过惊慌，通过致死的沮丧与疲倦。

救赎完全在人与人自己的依靠。

在基督的礼拜堂，米开朗基罗却一贯持续赞美与讴歌人自身的价值。

灾难使人类靠近，如果灾难对人类有意义，便是重新使人类领悟：救赎的意义，并不在神的慈悲饶恕，而是人类自己彼此学会靠近。

创世纪——大洪水

大洪水是灾难，也是惩罚，人类彼此依靠扶助，好像在灾难中才学会了对同伴的爱与关心，灾难中有了新的救赎。

创世纪——诺亚献祭

神要用大洪水毁灭世界，通知诺亚，建造方舟避难。

创世纪——诺亚醉酒

诺亚原来是勤劳的农夫，在老年时却喝醉了酒，赤身露体，被儿孙看到。米开朗基罗给了道德一个小小的人性漏洞。

米开朗基罗在《创世纪》神话的伟大作品中，其实宣示的是“人”的觉醒， 而不是神的权威。

最后一幅作品或许别具暗示的意义，“诺亚醉酒”，为什么诺亚喝醉了酒呢?

旧约圣经描述大洪水的灾难过去，诺亚已是年迈老人，子孙承欢膝下，可是，不知道为什么，一向虔诚节制的诺亚却喝得酩酊大醉，被孙子们发现，都跑来窥看。

米开朗基罗处理了裸体的诺亚，远处有一名红衣男子，正勤劳耕种，好像也是诺亚。

米开朗基罗看到人性的两面，勤劳的自己与放纵的自己，虔诚的自己与背叛的自己，信仰的自己与虚无的自己。

《创世纪》的九段画面，没有结束在信仰，而是结束在虚无、放纵、沉沦。

人性的价值如此艰难，使米开朗基罗不愿意以肤浅的喜剧结束，他或许宁愿使人类在生命的虚无、沉沦、沮丧中深沉思考存在的意义吧。

《创世纪》神话是一幅人类前所未有的史诗巨作，绘画里最伟大的人性交响诗，使所有抬头仰望的人看到自己的生死变灭。

他在长卷式的史诗绘画两侧与周边加入了许多以色列古代的先知、历代君王，以及裸体的巨大男性肉身，仿佛在凝视与见证宇宙的完成，凝视着人的出现，犯罪，出走，凝视着惩罚与灾难，信仰与沉沦，自古至今，一部人类存活的艰难故事，五百年后仍然使成千上万的人抬头仰望。

一五〇八到一五一二年，米开朗基罗以四年的时间完成《创世纪》壁画，大部分时候他一个人在这孤独的空间，没有朋友，没有助手，他把礼拜堂的门锁起来，一个人在高高的鹰架上，常常不吃不睡，思索着，犹疑着，时而狂喜，时而沮丧。

创世纪——特尔菲女祭司

一五一二年十月，整个作品完成，三十一日揭幕，使众人震惊，米开朗基罗三十七岁，看起来苍老疲倦，他像耗尽力气的神，刚刚完成《创世纪》神话，在巨大的孤独中听不到任何他人的赞美掌声。

创世纪——先知撒迦利亚

不到半年，一五一三年的二月二十一日，教皇朱利叶斯二世死亡，这个不断激发米开朗基罗挑战更高的生命难度的统治者，在他短短的执政时间留下了辉煌的罗马，布拉曼特的圣彼得大教堂，米开朗基罗的西斯廷礼拜堂天篷《创世纪》壁画，拉斐尔在斯坦兹宫（Stanze）的《雅典学派》巨作，他把同时代的达芬奇、布拉曼特、米开朗基罗都画进了时代的巨作中；朱利叶斯二世的名字与这些文艺复兴的杰出人物一起传世不朽，他不是一般肤浅的威权统治者，他创造一个伟大的时代，使生命可以激发出最大的潜能，他像一块巨石，全力碰撞同一时代如同巨石的精英，激发出火花。因为朱利叶斯二世，建筑、绘画、雕刻……都留下了最不朽的作品。

囚——人的限制

朱利叶斯二世教皇和米开朗基罗，彼此对立，也彼此欣赏。

作为统治者，朱利叶斯二世甚至私下感受到：没有米开朗基罗，没有拉斐尔，他再大的权力与财富也只是昙花一现。

他曾经委任米开朗基罗设计他死后安葬的陵墓，他知道，要被后世纪念，不是因为权力，而是因为美，不是因为他自己，而是因为有米开朗基罗。

米开朗基罗数次激怒教皇，他仍然不放弃陵墓的委任工作，他知道，要在历史上传世不朽，他必须依靠米开朗基罗。

真正野心勃勃的统治者，不只是看到现世的权力财富，而是看到了自己在更长久的历史上的地位。

朱利叶斯二世逝世了，却留下了最伟大的建筑、绘画、雕刻，一直到今天仍然是人们朝拜赞颂的对象。

朱利叶斯二世留下的陵墓计划仍然委托给米开朗基罗。

继任朱利叶斯二世的教皇是利奥十世，他来自佛罗伦萨，来自美第奇家族，他是伟大的洛伦佐的儿子。

三十七岁的教皇利奥十世，几乎是和米开朗基罗一起长大的，一起受到佛罗伦萨最精英的人文熏陶。他任命米开朗基罗继续为朱利叶斯二世的陵墓计划工作，三十八岁的米开朗基罗重新想到当年的庞大计划，但是经过《创世纪》壁画的四年耗尽心力的工作，逐渐步入中年的艺术家或许感觉到不同的创作理念。

垂死的奴隶 1513

“囚”是人被封闭的状态，米开朗基罗思考起“人”的不自由。

年轻的时候，“伟大”是一种炫耀，到了成熟之后，对生命有了更深的认识，米开朗基罗似乎更体认到“伟大”或许只是承担“人”的本质。

“人”的本质是什么呢？

陵墓是人的肉体的归宿，陵墓像一个监牢，把渴望自由、活动、渴望解脱的生命封锁起来。

“人”是不自由的。

“人”有一个肉体，禁锢着时时想要自由的生命。

肉体像监牢，自由的心灵被囚禁在监牢里。

米开朗基罗不断思考着人的肉身的本质意义。

“囚”这个汉字也许是命名这些作品的最好的名称。是

“人”被一个四方的监牢框架起来的形式，“人”是不自由的，无论如何努力，总是在监牢里，甚至死亡也是一个监牢，囚禁着渴望自由生命的身体。

他为朱利叶斯二世死后的肉体寻找代言的符号。

一五一三年他雕制了两件人像，比真人还大，原来都是陵墓设计构想的一部分，后来被法国国王弗朗西斯一世看上了。这个把达芬奇邀请到法国的国王，努力要让法国赶上意大利的文艺复兴的盛世，带走了米开朗基罗的两件作品，命名为《奴隶》，现在成为巴黎卢浮宫的收藏。

一件是《垂死的奴隶》，这显然并不是米开朗基罗原来的命名。他原来的创作动机只是“囚”，是各式各样不能自由的人的身体。

一个男人，赤裸的，只有上胸缠着下葬的尸布。人体左手高举，抚着后脑，右手抚着前胸，好像在爱抚自己的肉体。

这是“垂死的”形象吗？人像的五官其实流露着一种陶醉的表情，好像沉溺在极深的欲望的悸动中，无以自拔。

米开朗基罗似乎使“垂死”变成另一种“高潮”，是生与死的临界，感官到了极致，仿佛灵魂要从肉体里解放出来，从被囚禁的牢笼里挣脱，得到更大的自由。

米开朗基罗完全打破了文艺复兴的古典与均衡的传统，在达芬奇之后，他背叛了文艺复兴的规律，使人体扭动起来，人体刻意展现出夸张的戏剧化动作，这种律动的美学，艺术史上被称为“矫饰风格”，有别于文艺复兴时代的对称工整，也是巴洛克风格律动感来临的预告。

垂死的奴隶（局部）

一个男人，赤裸的，只有上胸缠着下葬的尸布。这是“垂死的”形象吗?

米开朗基罗从“陵墓”的计划开始思考，最后，整个计划中的个别雕像分别有了独立的生命，法国国王带到法国的两件完全可以作为个别的艺术品欣赏。

在雕塑造型的突破意义上，另一件《被捆绑的奴隶》更具实验性的张力。

目前存放在卢浮宫的这件作品，与《垂死的奴隶》放在一起，前者强调“美”，后者突显“力度”。

裸体的雄壮人体，前胸缠着带子，上半身与下半身做反方向扭转，好像在极苦闷的束缚捆绑中，渴望着自由的解放。左边的手强力向后拉，使肩、膀、背脊的肌肉一块一块扭结突起，苦闷、烦躁、郁怒的肉体，对抗着不可知的限制与禁锢。

人的肉体，囚禁着自己；人的肉体，是魂魄的奴隶。

米开朗基罗使雕塑变成哲学，他把工匠的技术提高为一种思考。

文艺复兴时代，雕塑还隶属于较低等的工匠技艺，连达芬奇都轻视雕塑，认为雕刻家总是灰头土脸，无法像绘画者一样优雅工作。

米开朗基罗改写了雕塑的意义，他把雕塑提高到与文学、哲学、数学、天文学可以平起平坐的“自由人文学科”（Libral Arts）的高度。

因此，在后期陵墓计划中的人体，其实作为整体工程设计的意义不大，他加强赋予每一件作品独立的个性。

《被捆绑的奴隶》是作为“完成”作品卖给法国国王弗朗西斯一世的，但是，石雕中留下许多粗粝刀斧凿痕，细致抛光的莹滑部分和大刀阔斧留下的斑驳痕迹，形成

被捆绑的奴隶 1513

人被捆绑缠缚，人被看不见的绳索缠绕着，无法自由。

两种对立的质感，好像人的肉体正在酝酿成形，人的肉体正在从混沌中产生。

人，不是结果，还没有结果，只是不断成形的过程。

心灵是肉体的奴隶，肉体是心灵的囚牢，生命的悲剧是心灵与肉体永远不会停止的对决。

米开朗基罗在《创世纪》壁画中一系列裸体男性，雄壮，巨大，以各种不同姿势扭动着，庄严、惊恐、苦痛、欢悦……他们各自承担着不同的生命重量，如同米开朗基罗诗句中说的：

“心灵还穿着肉体的服装！”

他看待肉体如同一件衣服，一件使心灵无法自由的衣服，他如此眷恋这件衣服，又如此憎恨这件衣服。

他甚至在基督信仰的先知与神圣者身上也同样看到肉体的纠缠。

同一个时间，他创作了《摩西》像。

摩西是旧约圣经中希伯来最重要的先知，他带领族人出埃及，以巨力辟开红海，在西奈山接受神颁布的“十诫”，他是头上长着双角的领袖，是威权的象征，也是禁令与戒律的象征。

摩西像原来也是朱利叶斯二世陵墓计划中的一部分，目前存放在罗马的圣彼得镣铐教堂，旁边也配置了一些可能是原来陵墓计划的一部分拱龛建筑，但是只有摩西像有震慑人的巨大力量，其他的部分常被专家认为可能是米氏助手群的作品，少了米氏作品惯有的强大张力。

摩西 1515

摩西在基督教传统形象中多以老人的姿态出现，米开朗基罗的摩西也有很长很浓密的胡须，但是他的摩西一点也不显衰老。摩西瞪视前方，怒目凝神，好像在面对重大的抉择，他壮硕的手臂与肩膀，绝不是老人的身体，手臂上暴突起肌肉，暴突起青筋与血管，他右手撩着胡须，胡须纠结缠绕，好像汹涌而来的海浪，好像澎湃波涛的大海，使人即刻感觉到先知呼风唤雨的力量。

许多人认为摩西像正是暗喻着朱利叶斯二世教皇震撼人的暴怒与威权性格，这是他陵墓计划中的一部分，整个陵墓计划没有完成，但是单单一件摩西像，足以感受到米开朗基罗整个计划磅礴的巨大力量。

原来为教皇设计的庞大陵墓工程，最后只完成以摩西为主体的一小部分。

肉体奴役——四件杰作

米开朗基罗的“陵墓计划”变成持续的工作，好像永远不会完成，他不断思考，不断创作，不断实验，不断修改。

在绘画的领域，用现代科技的 X 光透视，可以看到创作者一层一层油彩修改的痕迹，一张不曾修改的画，即使完美，也使人觉得单薄。

好的艺术作品，如同生命本身，并不是单纯完美，而是许多错误的修改的过程。

雕塑可以保留不断修改的痕迹吗？

当我们面对现存佛罗伦萨学院美术馆的四件《囚》，也许可以思考起米开朗基罗在步入四十五岁中年后创作上的巨大革命，他把雕刻带入全新的领域。

这四件作品显然和带到法国卢浮宫收藏的两件是同一系列作品，许多人命名为《奴隶》，但在意大利一直有另一个名称为“Prigioni”，也就是“囚”的意思，也许更逼近米开朗基罗试图表达的本意。

四件作品原先都没有命名，一直留在米氏身边，没有出售，也没有展示，从四十五岁开始雕刻，到他八十九岁去世，长达四十余年。这些作品为什么一直与他在一起，在表现的手法上，比带到法国的两件，更多石头原始的粗犷棱角，浑然大气。当然许多人都无法接受这四件作品这样大刀阔斧的技法，好像只是一个雕刻的粗坯，完全没有细节修饰，长达数世纪，这四件作品常被标明是“未完成”的作品。

它们真的是“未完成”吗?

米开朗基罗有四十多年的时间去完成，他为什么不完成?

许多革命性的雕塑实验隐藏在这四件系列作品中，值得做更深的思考。

目前这四件作品收藏在佛罗伦萨学院美术馆，和米氏二十九岁的《大卫》像放在一起，许多观光客挤在《大卫》像前，而米氏四十五岁以后步入生命更高峰的杰作——《囚》，仍然很少人能理解与欣赏。

米开朗基罗与达芬奇一样，超越他们生存的时代太多，他们远远跑在前面，使同时代的人无法理解，他们的追求，他们的美，需要更长的时间才能为世人接受。

这四件杰作目前被命名为 1.《青年》 2.《巨人》 3.《苏醒》 4.《负重》。

《青年》这一件作品接近卢浮宫藏的《垂死的奴隶》，一名裸体男性，右手向背后扭转，左手高举过额，身体也在一种刻意的姿态中，仿佛对自己的肉体无限眷恋与陶醉，五官中透露出甜美沉溺的笑容。

四件《囚》 1523

为什么“奴隶”或“囚犯”会有这样愉悦的表情？

米开朗基罗重新界定了“奴役”与“囚禁”的定义，我们眷恋自己的肉体，肉体便“奴役”我们，肉体便成为我们不得自由的囚牢。

第二件《巨人》是最大胆破坏既定形象的一件，传统的人像雕刻多以人的头部为主体，米开朗基罗大胆在这件作品中去除了头部，头部是一块大刀阔斧砍出来的方块，“巨人”的手紧紧抓住石块，好像要让头从石块里破裂而出，又像是负担着巨大的重量，整个肉体被挤压在石块中，创作者给我们看的不只是他“雕”“刻”的人体，而更是打在石块上像伤痕累累的斧凿的斑疤。

五百年来，其实没有人超越米开朗基罗，十九世纪末的罗丹（A. Rodin）受米氏影响甚大，但还是有“形”的限制。米开朗基罗使雕塑还原成材料，还原成力与力的撞击，还原成天崩地裂的原始之初。

第三件《苏醒》最明显地看出“人体”与四周石块运动牵制的关系。

一个人体被石块牢牢封闭住，无限苦闷，努力挣扎，好像要从石块的沉重中冲突破裂而出。他的胸脯以巨大的力量向外扭动，头部却深陷在石块中无以自拔。

身体四周的石块斧凿斑斑，这绝不是“未完成”的多余，相反的，在这一组作品中，保留在人体四周粗重犷野的石块展现了雕刻不可思议的力量，这正是囚禁人的压力与限制，没有这些苦闷的挤压，也不会有解放的自由，米开朗基罗为人性中的受苦加注了形象化的诠释。

第四件《负重》，斧凿劈过的粗犷痕迹留在头部，以及下垂的左手手掌部分。一个满面络腮胡的男子，以巨大雄壮的躯体承担着千钧的重量，但我们不知道那重量来自何方，那重量是什么？

我们只是知道，那躯体雄壮纠结的力量正是来自“负重”的压力。

米开朗基罗从来轻视软弱的生命，对他而言，活着，就是承担重量。

囚——苏醒（局部）

一个人体被石块牢牢封闭住，无限苦闷，努力挣扎，好像要从石块的沉重中冲突破裂而出。他的胸脯以巨大的力量向外扭动，头部却深陷在石块中无以自拔。

囚——负重（局部）

人的身体还在石块里，努力要挣脱石块的压迫，米开朗基罗大刀阔斧劈出人的挣扎。

这一组作品创作的动机，创作的年代，创作的完成与否，一直暧昧不明，长期以来争议不断。

许多数据上标明这四件作品是米开朗基罗一五二〇至一五二三年的作品，他四十五岁到四十八岁。

但是创作者留在自己身边的作品，不出售，也不展示，对他自己有非凡的意义，一直到他八十九岁去世，这四件作品都有可能不断被修改，每一处斑驳，每一处凹凸，每一处刀斧的痕迹，都是这孤独生命呐喊时留给世界的回声。

一五二〇年，达芬奇去世了，拉斐尔也去世了，文艺复兴的盛世只剩下孤独的米开朗基罗，无限骄傲，也无限辛酸地承担着历史的重量，无限自负，也无限绝望荒凉。

米开朗基罗站在历史的高峰，前不见古人，后不见来者。

日与夜，黎明与黄昏

如果，中年以后的米开朗基罗逐渐以雕刻表现哲学里的抽象理念，他此后的人体雕刻便不再只有造型上的意义，而是他希望借人体承载更丰富的象征意涵。

美第奇家族的陵墓计划可以说是这时期他最具体的表现。

美第奇家族传承了好几代，与欧洲各国贵族联姻，形成强大的政治势力。

一五一九年，美第奇家族决定重修家族陵墓，这个陵墓，包含了教堂、墓地，甚至家族收藏珍贵的古代文物书籍的图书馆，成为佛罗伦萨美第奇家族标志权力、财富、文明与教养的重要符号。

美第奇家族最早的陵墓由设计大教堂的卓越建筑师布鲁内莱斯基（Brunelleschi）修建，恢宏高雅，是文艺复兴前期的代表作。

重建的计划委托给了米开朗基罗，这是绝好的机会，可以使他有可能展现建筑、空间、雕刻一体成形的个人才华。

一五二三年十一月，教皇克莱门特七世继位，他正是美第奇家族的后代，他的父亲朱利亚诺是伟大的洛伦佐的弟弟，同属于美第奇家族的第三代。

作为第四代子嗣的克莱门特七世，当然更加重视家族陵墓的修建，米开朗基罗也受到更强烈的负托。

米开朗基罗在布鲁内莱斯基设计的主教堂侧边设计了一组新的陵墓。

很朴素典雅的建筑，没有华丽的彩色大理石镶嵌，没有过度装饰的细节，他以很单纯的圆拱，构成四面墙壁的结构，青灰色的石材，白色的墙壁，只有拱的曲线和直线的窗框构成流动与静定之间的互动。

陵墓兼具礼拜仪式的教堂，一边是祭坛，另一边是圣母圣婴雕像。

另外两面墙就是朱利亚诺公爵与洛伦佐公爵的墓。

这两位公爵，承袭先祖伟大的名字，在政治才能上却并不出色。朱利亚诺是尼姆（Nemours）公爵，一五一六年逝世，三十八岁。洛伦佐是乌比诺（Urbino）公爵，一五一九年去世，二十八岁。

米开朗基罗为他熟悉的家族后代设计陵墓一定感触很多，他熟悉这个家族的每一代领袖，从先辈的英明大气，到后代子嗣的平庸，他都太熟悉了。

尼姆公爵与乌比诺公爵都不是家族中的卓越精英，但是米开朗基罗在他观看生命的深度上已没有了个别的差异。

他制作了洛伦佐陵墓上的像，坐着，一手支头，低头沉思，像一名哲学家，看到的人都说：“这不像洛伦佐！”

米开朗基罗当然知道洛伦佐长的什么样，他要做一个形似的肖像也不会是难事。

洛伦佐之墓 1519—1534

洛伦佐坐着，沉思着自己的死亡，石棺上是“黎明”与“黄昏”，时间连接着“生”与“死”。

洛伦佐之墓（局部）

米开朗基罗借着洛伦佐思考生命存在的意义。

朱利亚诺之墓 1519—1533

朱利亚诺全身盔甲，正要从座椅上站起来，他的石棺上是“日”与“夜”的交替。

朱利亚诺之墓（局部）

朱利亚诺之墓　日

米开朗基罗以具象的男体与女体表现抽象的“日”与“夜”。“日”的男体肌肉纠结，好像有强烈炙烫的热度。

但他回答说：“上千年后，没有人在意洛伦佐长什么样子！”

果然，五百年后，成千上万群众前往佛罗伦萨观看这件作品，不是因为洛伦佐，而是因为米开朗基罗。

洛伦佐只是一个借口，米开朗基罗借助他思考生命存在的意义。他端坐在龛中，身上穿着古代罗马式的铠甲，头上戴盔，沉思着，像所有活过的生命，思考着什么是“生”，什么是“死亡”。

他高高在上，下面就是石雕的棺木；上面如果是“生”，下面就是“死”；不只是洛伦佐，米开朗基罗相信每一个人都在“生”与“死”之中。

面对棺木，右边是“黎明”，左边是“黄昏”，两个时间的概念，表现在人体之中。

“黎明”是一名裸体女性，横躺在石棺弧形斜线上，很不稳定的基座，她头上戴

朱利亚诺之墓　夜

着面纱，好像刚刚从睡眠中苏醒过来，眼睛还不适应第一线阳光。

黎明亮起来了，米开朗基罗用人在睡眠中初初醒转的姿态表现抽象的时间概念。

他觉得人的肉体是最丰富的，可以表现宇宙的万事万物。

左侧的“黄昏”是一个中年裸体男子，也横卧在棺木上，他转头好像在回顾什么。“黄昏”如果是生命的日薄西山，或许会是生命最后的回忆的时刻吧，一切都渐行渐远，他的回顾里仿佛有许多无奈。

“黎明”与“黄昏”，在“生”与“死”之间流过，像永不回头的时间的长河，或许米开朗基罗想说：“生”与“死”是时间的两端。

上下是“生”与“死”，左右是“黎明”与“黄昏”，米开朗基罗结合建筑、空间、雕刻，构成设计上与理念上都完美的作品。

洛伦佐陵墓的对面是朱利亚诺。洛伦佐是“沉思”，朱利亚诺是“行动”，他

朱利亚诺之墓　面具（上）夜枭（下）

“夜”的雕塑里米开朗基罗以面具及夜枭传达了死亡的阴森恐怖。

也坐在椅子上，但看着远方，脚跟离地，正准备站起来。

米开朗基罗借着两个人诠释了人间两种生命典型：动与静，实践与思考。

他的雕刻都浸染着深沉的哲学内涵。

因为是“行动”，在棺木两侧配置的是“日”与“夜”。

“黎明”与“黄昏”是柔和的光，都适合思考；“日”与“夜”是强烈的明暗，象征行动。

我们面对朱利亚诺，上下仍然是“生”与“死”，棺木的右侧是“日”，左侧是“夜”。

“日”使人想起他的“奴隶”或“囚”。

一个肌肉纠结的男子，壮硕的躯体，上半身向内转，下半身向外转，形成巨大的扭动，扭动牵扯起肌肉、肩膀、手臂、背脊的肌肉一块块突显出来。

最大胆的表现在“日”的脸部，以粗犷的手法草草雕出一个模糊的五官，好像日正当中的强烈阳光，刺激得眼睛张不开。米开朗基罗使人在他的雕刻里感觉到光，感觉到色彩，感觉到温度，他煽动起我们全部的官能去认识美的力量。

和“日”背面相对，“夜”是沉睡中的裸体女子，头上有一弯新月，屈转着躯体，仿佛沉睡在母亲子宫中的胎儿。

在“夜”的周遭，米开朗基罗例外地配置了他一向不喜欢表现的人体以外的形象，他雕了一个丑怪的面具，也在“夜”的脚边雕了一尊狰狞的夜枭。

如果“夜”是死亡，夜枭的狰狞与丑怪的死神面具使人恐惧吗？

米开朗基罗或许对死亡有不同的感受，他在一五四五年的诗句里把死亡视为甜美的睡眠：

我渴望睡眠，沉睡如石块

在长久忍受的受伤与羞辱之后

多么幸运，可以不看不听

因此，别叫醒我，小声点！

这首诗也许是“夜”极好的脚注，才过中年的艺术家在创作的大狂喜与大悲痛中渴望一种死亡式的安息。

许多人注意到“黎明”“夜”是米氏作品中较少见的女性形象，但是也不难发现这两件女性躯体都是男性的结构，他一向用男性模特儿，只是在胸部做一点改装而已，因此他的女性造型也往往雄强硕大，一点无妩媚柔软的感觉。

与美第奇陵墓计划一起完成的《圣母圣婴》雕刻，圣母的部分也没有女性的柔软，他使生命崇高、庄严，他使生命从性别的差异中升华，成为单纯对人体美的歌颂。

圣母坐在高台座上，一手抱着圣婴，很简单的“母与子”的主题，但是米开朗基罗使坐在圣母身上的婴儿向后旋转，婴儿的上半身与下半身反方向扭转，使整个雕塑在律动里似乎向上拉长。从他这一时期的几件素描来看，他不断重复练习婴儿向后旋转的姿态，刻意打破文艺复兴静定的古典风格，也使艺术史上一个新风格“矫饰主义”的出现愈来愈趋明显。

圣母圣婴 1521—1534

圣婴回头去呼应圣母，打破了传统宗教作品“正面”的刻板规则。

异端之爱

思考矫饰风格的向上旋转、拉长的作品，在米开朗基罗五十五岁（一五三〇年）前后表现得特别明显。

一件同样属于美第奇家族陵墓计划的《胜利》雕刻常常被作为矫饰风格的典型范例。

《胜利》（*Victory*）是一名男子像，右手弯曲，向自己的左肩推动旋转，下半身却向另一个方向旋转，右腿直伸，左腿弯曲，跨在底座上，底座上有一名巨大的中年男子的头像。

年轻男子跨骑在中年男子身上，仿佛胜利者。

在这件作品里，因为强调旋转的力量，青年男子的颈部、腰部都被拉长，面对这件作品，感受到向上旋转升起的力量，一种律动的、不稳定的视觉，瓦解了文艺复兴

胜利 1530—1534

《胜利》被认为是米开朗基罗自嘲被青年男子征服的隐喻作品。

惯用的三角形构图。三角形金字塔结构是永恒稳定的对称，米开朗基罗释放了这种规则，他使雕塑如花瓣绽放，一片一片打开，使雕塑有更大的表现的自由。

“胜利”是什么意思？

是青年男子战胜了中年男子吗？

许多评论家关心这件作品，认为《胜利》不再是传统战争中输与赢的表现，米开朗基罗的《胜利》有更深的隐喻与象征。

青年骑跨在中年男子头上，中年男子深沉的表情，好像在思考自己被打败的意义。

有学者指出这件作品中隐含的异端之爱，米开朗基罗极度眷恋青春俊美的男子，特别是一五三二年认识的青年贵族卡瓦里耶，米开朗基罗为这名人文教养、仪容、谈吐、肉体……都俊美到惊人的青年男子写了无数热情洋溢的诗。

我可以遗弃喂养我的食粮

因为它只喂养我不快乐的身体

而你，你的名字，如此甜美

使我不再觉得痛苦

不再畏惧死亡

你的名字

喂养了我的身体

也喂养我的心灵

认识卡瓦里耶时，米开朗基罗已经五十七岁，他似乎被美打败了，垂垂老矣，被美征服，他应该狂喜，还是沮丧？

被美打败，他应该觉得自豪，还是羞辱？

他在自己衰老却炽烈燃烧的肉体里看到一种“奴役”，一种“囚禁”，他知道自己终其一生，将背负着美走向死亡。

《胜利》是在这样的异端之爱中产生的作品吗？

学者之间，颇有争议。

到目前为止，部分学者认为《胜利》的制作年代是在一五三〇年以前，米开朗基罗五十五岁。

而米氏遇到卡瓦里耶是在一五三二年，五十七岁。

《胜利》雕刻中的俊美男子显然不是卡瓦里耶，但是，当然也可能反映米氏中年一系列对青春男性异端之爱的眷恋。

在《胜利》作品中，米开朗基罗基本上不再做最后修饰的抛光，人体上留下很细的凿痕，十字形交叉的细线，像他素描里常用的手法，仿佛成为他眷恋男体青春之美的许多细密的质感。

米开朗基罗似乎渴望着把视觉转换成触觉，他要用身体，用全部的最热烈的触觉去拥抱一个肉体。

他的作品透露这种狂烈的渴望，但是，现实之中呢？

现代的艺术史家更关注米开朗基罗与这些青年俊美男子肉体上与性行为上的接触。

提提俄斯 1532

米开朗基罗恋爱同性俊美男子，被压抑的异端之爱使他用被猛禽啄食内脏的希腊传说来表现自己撕裂内心的剧痛。

但是，到目前为止，没有任何数据显示米开朗基罗有具体与男性的肉体接触，他只留下大量惊人热情的书信与诗句，讴歌青春，讴歌美，讴歌一种激情至死却没有结局的爱。

他狂暴热烈如火焰的爱，仿佛只是为了燃烧自己，他写给卡瓦里耶的诗句说：

我燃烧，我消耗自己，我哭泣……

爱像一种永无止境的酷刑，在与卡瓦里耶相遇的一五三二年，他留下了一系列男体与鹰的素描。

第一件画的是提提俄斯（Tityus），他是希腊神话中主神宇斯（Zeus）和厄拉瑞（Elara）之子，因为得罪了冥王哈迪斯（Hades），被捆绑在巨石上，每天有兀鹰前来，撕裂他的胸腹，啄食他的肝脏，等剧痛的酷刑过后，他的肝会复原，胸腹重新长好，等待第二天兀鹰再来撕裂啄食；这种日复一日的酷痛折磨是希腊神话对生命悲剧的最强烈的暗示。永无止境的受苦，永无止境的痛，永无止境的撕裂，永远没有结束，日复一日，无助也无奈地承担一种没有结局的酷刑。

米开朗基罗发现自己爱的悲剧如同提提俄斯，兀鹰飞来，瞪视美丽的肉体，这肉体是美好的食物，这肉体将被撕裂，嚼成碎片。

米开朗基罗在提提俄斯的画作中使自己幻化成兀鹰，也幻化成提提俄斯，他贪恋肉体，他也受肉体的酷刑折磨。

另一件以鹰与男体创作的作品是《伽倪墨得斯》（*Ganymede*），这件作品原作佚失，但留下了一件摹本。

伽倪墨得斯是人间俊美少年，天上众神之神宙斯（Zeus）一向追逐美女，这一次却被伽倪墨得斯的俊美震惊，宙斯化身成鹰，扑翅抓起伽倪墨得斯，把这英俊少年带到众神国度，在奥林匹斯诸神飨宴中为神祇斟酒。

希腊神话中的美——肉体的美，可以震动天神。

从素描摹本来看，一只张开双翅的飞鹰，环抱着俊美少年，鹰的双爪猛烈勾住伽倪墨得斯的脚。

如果这张素描如一般学者所言，在传达米开朗基罗初恋卡瓦里耶的激情，那么，米开朗基罗的爱是狂暴充满激烈肉欲的肉体之爱。这件作品中兀鹰对俊美少年的爱表现得近于一种疯狂的毁灭。

这样疯狂毁灭的爱，没有响应，害怕回应，变成热烈的书信与诗，变成炙烤自己的烈火，变成他宿命中的罪，他承担着，为此自负，也为此羞辱；为此狂喜，也为此绝望。

他俗世的异端之爱或许是他创作生命里最主要的动力，那些没有回应的绝望也一次又一次转换成创作中无与伦比的美的显现。

许多学者关心米开朗基罗的异端之爱与他创作之间的紧密关系。

也有许多学者注意到米氏的异端之爱中也包含着一位非常特殊的女性——科罗娜（Vittoria Colonna）。

伽倪墨得斯（摹本） 1532

宙斯化身成鹰，扑翅抓起俊美少年伽倪墨得斯。米开朗基罗以此传达狂暴激烈的肉体之爱。

科罗娜追求性灵纯粹圣洁之美，曾经想进修道院，把生命奉献给神，后来嫁给一名侯爵，不久守了寡，寡居中写了很多诗。

科罗娜是贵族，谨守基督教禁欲的戒律，她四十五岁时遇见米开朗基罗，米氏已是六十岁的人。

他们彼此倾谈，书写美丽的诗句，书信往返，很多人相信六十岁的米开朗基罗在西斯廷礼拜堂绘画《最后的审判》壁画时是以科罗娜作画中圣母的范本。

在罗马时，科罗娜住在本笃修会的修道院，但常常邀请米开朗基罗及其他艺术家在她的宅邸畅谈宗教、艺术、诗……

米开朗基罗也写了许多诗给科罗娜，但是和写给卡瓦里耶的不同，那些诗句，如此平静优美，没有激情，没有梦幻，没有令人窒息的欲望的嘶叫，也没有毁灭与绝望。

米开朗基罗与科罗娜其实更像精神上的知己，追求着纯粹性灵上的美与升华。

一五四七年，科罗娜五十六岁逝世，米开朗基罗已是七十二岁高龄，他守在科罗娜临终的床前，亲吻她的手，告别了最亲密的朋友。

最后的审判

十六世纪二十年代后期，欧洲的地方君权逐渐强大起来，法国的弗朗西斯一世与西班牙的查理五世都成为崛起的新势力，梵蒂冈的罗马教皇常常被逼迫求和。

一五二七年教皇克莱门特七世甚至被迫逃入罗马的天使堡避难，罗马已被乱军占领，成为无政府状态。

克莱门特七世是佛罗伦萨美第奇家族的成员，战乱自然也涉及到佛罗伦萨。

佛罗伦萨全力备战，米开朗基罗也热血沸腾，参加防御守备工作，担任了整个城市防卫的统帅一职。

米开朗基罗为佛罗伦萨城市防卫设计的草图还留了下来，可惜这个备战的热情持续了一年多，米开朗基罗逐渐陷入恐惧，他发现自己完全没有战争的实务经验，美丽

最后的审判 1536

六十岁的米开朗基罗创作了巨幅壁画《最后的审判》，仿佛他也准备自己最后的生命告解。

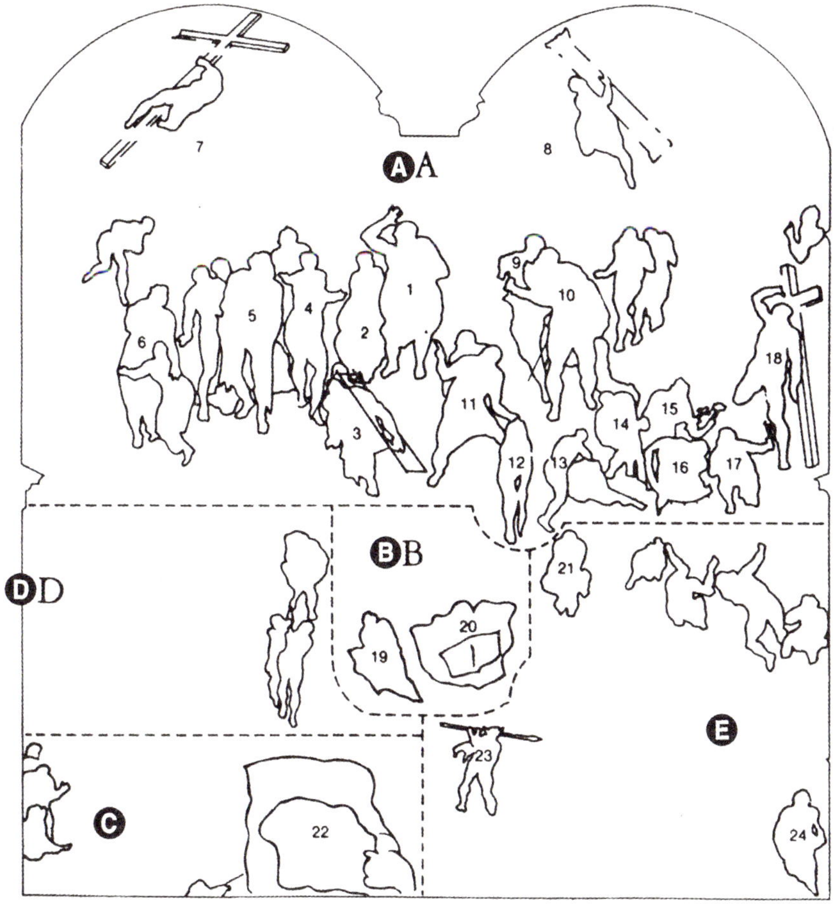

最后的审判

A—天使吹号角

1. 耶稣基督
2. 圣母
3. 圣劳伦斯与刑架
4. 圣安德烈与十字架
5. 施洗约翰
6. 受难母亲
7. 天使
8. 天使
9. 圣保罗（红袍）
10. 圣彼得（钥匙）
11. 圣巴塞洛缪
12. 圣巴塞洛缪人皮（米开朗基罗形貌）
13. 圣西门
14. 盗贼
15. 圣布雷斯
16. 圣凯瑟琳
17. 圣塞巴斯提安
18. 圣西蒙

B—天使吹号角

19. 善因书
20. 恶因书

C—死者复活

22. 地狱之口

D—受福灵魂升天

E—受诅咒者下地狱

21. 绝望的受苦者
23. 鬼卒
24. 米诺斯

的城防设计图稿并不代表了解战事布局，终于，在一五二九年九月，他不告而别，丢下了自己的城防工作，潜逃到威尼斯去了。

佛罗伦萨遭西班牙军队围攻，陷入炮火，加上饥荒、瘟疫流行，大约有四万四千人死亡。一直到一五三〇年，战争才逐渐平复，克莱门特七世又召唤米开朗基罗到罗马，告诉他，西斯廷礼拜堂靠近祭坛的一面墙还空白着，等待着他， 等待他在经历战争、饥荒、瘟疫、逃亡的恐惧之后，创作巨大的壁画——《最后的审判》（*The Last Judgement*）。

拖了几年，一直到一五三四年九月，米开朗基罗才去了罗马，罗马还在战争后的悲苦阴影中，到处都是新坟，到处都是穿着丧服的人，克莱门特七世也刚辞世。继任的保罗三世仍然赏识米开朗基罗，不但委托他开始创作《最后的审判》，同时也任命他担任宫廷最高的建筑、雕刻、绘画的首席艺术家。

《最后的审判》在一五三六年春天开始创作，成为米开朗基罗六十岁左右最具代表性的作品。

米开朗基罗重回西斯廷礼拜堂，他抬头仰望天篷，天篷上他在二十多年前绘画的《创世纪》还如此灿烂绚丽，透露着年轻的希望的气息，透露着年轻的对生命与创造的渴望。

如今，过了六十岁，经历了这样多的人世间的灾难，经历了人世间这样坎坷的起伏升沉，颠沛流离；经历了这么多爱恨的纠缠困顿，他仿佛觉得自己在面临最后的一次神的审判。

天国与地狱都在面前，获得宠爱与救赎的生命向上升起，受到诅咒与惩罚的生命堕入深渊，他望着礼拜堂祭坛后面那一片空白的墙，他看到许多人的肉体，欢愉的，痛苦的；喜悦的，惊慌的；平静的，焦虑的；圣洁的，邪恶的；美丽的，丑陋的；崇高的，卑微的；那些死亡过的肉体，如同《启示录》的记载，听到天使吹起长长的号角，天空闪着火光，大地裂开，死去的肉体纷纷从长久的噩梦中醒转，等待着神的审判。

死过的肉体一一醒过来，从墓穴、棺木、泥土中爬出来，身上还缠裹着灰暗的尸布，好像失神梦游的人，一具一具向上升起的尸体，有天使把获救的人接上云端，为基督信仰受难过的殉道者，聚集在基督与圣母四周，基督的身体异常巨大，躯干宽阔，在一片黄色明亮的光中，高举右手，标示出他作为审判者的角色。圣母有一点羞赧地依偎在基督身边，双手合拢在胸前，低头看着下界的芸芸众生，好像有无限悲悯。

殉道者都看着基督，看着唯一的审判者，殉道者手中拿着不同的刑具，他们以不同的方式殉道，圣安德烈（St. Andrew）的十字架，圣西蒙（St. Simon）的锯子，圣凯瑟琳（St. Catherine of Alex andria）的绞刑轮，圣塞巴斯蒂安（St. Sebastian）的箭……这些不同的刑具曾经折磨过他们的肉体，使他们备受现世的痛苦，如今，他们重新前来，站在审判者面前，站在基督面前，好像在询问：为信仰受这样的痛苦，有什么奖赏？

圣巴塞洛缪（St. Bartholomew）是被用刀剥皮殉道而死的，他右手拿着刀，凝视着基督，左手提着一张剥下来的人皮，有五官，有手，大家都辨认得出，这一张人皮

最后的审判（局部）

最后的审判（局部）

最后的审判（局部）

的五官是米开朗基罗自己的容貌。

画家把自己画在作品中，却是如此惨伤痛苦的自己，是一张剥成空荡荡的皮肉，悬在荒凉的天界与地狱之间……

米开朗基罗期待着一种何等惊人的审判，他觉得自己是以这样惨烈的方式在殉道吗？或是他觉得自己俗世对美的眷恋是这样重的苦痛，要在升上天界的时刻粉身碎骨?

这是历史上创作者最伟大的签名方式，他留在画面上的不是虚浮的荣耀与自豪，却是连哭泣嘶吼呐喊的声音都喑哑了的一种窒息人的苦闷与沉默。

地狱的鬼卒拉扯着受诅咒的罪人，向下坠落，罪苦的人用手蒙着眼睛，不敢看地狱的可怕景象。鬼卒驾着小舟，把船上的人驱赶下地狱的黑河，惊慌恐惧的肉体挤靠在一起，慌张失神，无助地被推入深渊……

《启示录》是耶稣门徒约翰在希腊帕特摩斯（Patmos）岛书写的未来预言，长久以来，基督教的末日审判都依据《启示录》的描述，然而，米开朗基罗看到的似乎不只是末日审判，他看到的是日复一日生命每一分秒的升起与降落，生命是如此受苦的形式，为这种受苦自豪骄傲，或为这种受苦悲痛绝望，有什么不同吗?

当我们面对这一堵伟大的墙，像聆听一种视觉上的合唱，每一具人体都同样承担着苦难，不同的苦难，不同的殉道形式，米开朗基罗经历了二十多年的生命变化，他的宗教情操有了更深沉的悲悯，对不同生命受苦形式本质上的悲悯。

他自己则是飘浮在空中一片薄薄的人皮，剥空了的肉体，剥空了肌肉与骨骼，剥空了内脏，剥空了思维与感官，如此空虚的生命，飘浮在天国与地狱之间。

在《最后的审判》里，无论男性或女性的肉体都一样壮硕巨大，承担生命之痛，承担生命之苦，不会有软弱的肉体。

裹着尸布的肉体，复活了，只是一具骷髅，张着空洞的眼眶，不知道是欣赏，还是悲哀。

被救赎的生命，紧紧抓着天使垂下的念珠，好像那是他们升上天界唯一的依据，但是念珠那么脆弱，线这么细，千钧一发，这样的救赎似乎一点也不可靠。

米开朗基罗真的相信救赎吗？

被剥成了一张空洞的皮之后，还有信望救赎的思维，还有渴望爱的体温吗？

一五四一年，《最后的审判》全部完成，米开朗基罗六十六岁，再一次攀登了生命难度的高峰，然而，举世震惊的同时，他或许只感到自己耗尽了一切力气，只是一张随处飘荡的人皮了吧。

这幅伟大的壁画，原来都是全裸的人体，米开朗基罗相信肉体远比衣服圣洁，更接近神的完美，他不喜欢掩藏在衣服下面不洁净的肉体。壁画完成后二十年，教皇庇护四世（Pius IV）每天在祭坛上礼拜，看着这些强悍的人体，心神不宁，便下令让一位画家达·沃泰拉（Daniele da Volterra）把壁画中所有人体的下体都加了布遮盖起来，这位可怜的画家便被取了一个颇嘲讽的意大利名字——“大裤子”（Il Braghettone）。

那时是一五六四年，米开朗基罗不久将离开人世，也无暇顾及自己作品如何被人误解与糟蹋。

圣彼得圆顶

米开朗基罗以雕刻的观念涉入绘画，改写了绘画的历史；他也以雕刻的造型观念涉入建筑设计，影响了此后欧洲的巴洛克建筑。

米开朗基罗最早的建筑野心当然表现在为朱利叶斯二世设计的陵墓计划中。

陵墓，既是建筑，又是雕刻，他留下的许多相关素描，都显示出他试图把建筑空间与雕刻做完美结合的实验。

陵墓计划一直断断续续，几次修改与停顿，整个计划最后只剩下目前保留在罗马圣彼得镣铐教堂中以摩西像为主的一面拱龛。其他原来计划配置在建筑中的许多人体雕刻，反而独立收藏在不同的地方，当成单独的雕刻被欣赏，失去了与建筑空间放置在一起的力量。

米开朗基罗结合了建筑、空间、雕刻，最完美的作品应该是他设计的美第奇家族

美第奇家族陵墓设计图

米开朗基罗以雕刻的观念涉入建筑空间设计。

陵墓。

这间陵墓教堂空间不大，方方正正的空间，上面推出一个圆拱，好像方的地，圆的天，有一种宇宙的庄严。

整座建筑以青灰色近于黑色的石材砌成严整的石柱，石柱上是圆拱，巨大的石柱与石柱之间就是陵墓，陵墓的主人纪念像坐在龛间，龛的两旁有柱子和长方形的假窗，雕像配置在建筑空间里，形成三角形的结构，在严谨工整的建筑元素里，人体雕刻像自由流动的水，或自由飘浮的云。

米开朗基罗的雕刻风格太强，通常配置在一起，会使人忽略雕刻四周搭配的建筑元素。但是，把雕刻抽离，米开朗基罗在美第奇教堂留下的建筑元素反而显现出有趣的“雕塑性”，那些看来像是门，像是窗，却没有门窗实际功能的假门假窗，一条一条边框，弧形的曲线链接到水平，水平被切断，连接下面的垂直线，因为摆脱了功能性，这些纯粹为装饰设计的造型，一方面来自建筑符号，另一方面却又背叛了原有功能，使造型的雕塑个性特别明显。

一五三三年，克莱门特七世，出身美第奇家族的教皇，再度任命米开朗基罗设计美第奇家族图书馆，使米开朗基罗在建筑上的表现更上一层楼。

图书馆的设计纯粹是建筑，看不到雕像，米开朗基罗设计了一个长方形的空间，摆置了两排书桌，上面是木质的天花板。整个建筑只用青灰色石材，白色墙壁，黑白相间，一种朴素高雅的空间，特别是墙壁上开了上下两层窗，上层窗是正方形，下层窗是长方形，是上层窗的两倍大。窗框都用青灰深色石材，在墙面上一列排开，窗变成一种秩序，深色窗框像一种限制，光从深色方块透进室内，亮丽的光像是突破黑色窗框的灵性的启蒙。

去除了雕像，米开朗基罗的建筑更像本质上的数学，没有复杂的修饰，但非常重视秩序感，秩序本身成为一种庄严的美。

常常被提到的美第奇图书馆建筑最重要的部分是入口处的玄关和楼梯。

玄关是图书馆大门从室外进入室内的空间，米开朗基罗似乎希望使进入图书馆变成一种仪式，在这个空间里他设计了一个楼梯，阶梯不高，缓缓上升，主阶梯两边有扶栏，阶梯外缘呈弧形，一波一波曲线像潮汐的波纹，最奇特的是主阶梯扶栏外还有侧翼的阶梯，像两个翅膀，加强了阶梯向上升起的感觉。

这座阶梯，完全像雕塑，米开朗基罗用雕刻的观念使建筑从单纯功能性过渡成为视觉上的美学飨宴。

楼梯占据了玄关入口的主要部分，玄关如果是舞台，楼梯便是舞台上众所瞩目的主角。

许多人徘徊在楼梯四周不忍离去，这不像是一个楼梯，楼梯只是为了上下，这个楼梯是通往知识，通往性灵，通往思考与领悟的引道。

引道四周，米开朗基罗设计了一个密闭的空间，墙壁上许多白色的方窗，许多黑色长方形的龛门，门上有半弧形的楣顶，都是建筑元素，都没有实际功能，门与窗都是假的，只有一条平缓上升的阶梯引导进入知识的殿堂。

米开朗基罗一直到一五五九年才完成了这座阶梯与玄关，那时他已是八十四岁高龄。

在罗马米开朗基罗设计的卡比托利欧广场（Campidoglio）可能是他在建筑领域

美第奇家族陵墓

为美第奇家族设计的陵墓，是米开朗基罗结合空间、建筑、雕刻最完整的作品。

表现得更为杰出的作品。

罗马城的中心一直是卡比托利欧山丘，这个山丘在古代罗马就是政治中心， 但在中世纪逐渐荒废了，虽然还是政治活跃的地区，但也拥挤着嘈杂的市集和牛墟。

一五三六年，查理五世要访问罗马，教皇保罗三世想重整市容，也需要一个进行迎接典礼的仪式性空间，就委托了米开朗基罗重整罗马的卡比托利欧山丘。

因为其他的因素，查理五世的访问取消，米开朗基罗的整建广场计划也一延再延。一五五〇年前后，米开朗基罗完成了草图，广场的平面图及立面图都留了下来，但是真正兴建的工程是在他死后才进行，大约晚到一百年后才由后来的工程师依据米开朗基罗的设计草图完成了整个广场计划。

广场高高地在山丘顶端，由陡峻的石梯攀登上去，广场是由三幢优雅的建筑围成，像一个露天开放的中庭。建筑像舞台的布景，两层楼的高度，有巨大的科林斯石柱贯穿两层楼空间，给人雄伟壮大的庄严感，但是一层楼的细小石柱却是爱奥尼克形式，非常宁静优雅，米开朗基罗完全以舞台的营造方法围成广场三面屏障。

广场中央是一名古罗马皇帝的骑马像，米开朗基罗设计了新的台座，使这雕像仿佛从古代罗马的辉煌荣耀一直延续到当代的强大繁华，象征世界的中心。

雕像四周是放射性的星芒布局，星芒一共有十二个向外突出的尖角，从星芒向外扩散，一层一层，如同花瓣绽放，几何图案不断向外扩张，形成一个如鹅卵一般的椭圆形空间，象征着宇宙的无限力量。

这或许是人类历史上最独特的广场，是广场，又是舞台，是一个纯粹理念上的存

美第奇图书馆（入口）

美第奇图书馆入口阶梯是米开朗基罗杰出的建筑设计。

卡比托利欧广场

卡比托利欧广场是米开朗基罗在建筑领域表现得最杰出的作品。

在，容纳了宇宙，容纳了历史，容纳了时间与空间。

卡比托利欧广场是米开朗基罗不朽的艺术杰作，不到现场，很难理解他可以使建筑元素转换成如此多彩多姿的丰富语汇。

米开朗基罗晚年承接了圣彼得大圆顶的设计工作。圣彼得教堂在一五〇六年由布拉曼特负责设计，完成了希腊正十字形的底层基本结构。布拉曼特去世后，这个艰巨工作由桑迦洛（Sangallo）接手，在布拉曼特的基础上推出了一个前厅，使正方形变成长方形的基座。

一五四六年前后，米开朗基罗接手这个工程，他虽然曾经与布拉曼特有过冲突，但却十分肯定布拉曼特建筑专业上的才华，也极力试图延续布拉曼特原来最初的大教堂设计概念。

米开朗基罗主要的工作是要在布拉曼特正方的基座上推出一个大圆拱顶。

圆顶建筑的概念是古代罗马帝国的创造，最有名的代表是建于公元二世纪左右的“万神殿”（Pantheon），圆顶象征着天穹的庄严崇高。中世纪的哥特形式建筑放弃了圆顶，追求尖拱尖塔的垂直性发展，追求灵巧轻盈向上升起的线。

到文艺复兴前期，布鲁内莱斯基重新在佛罗伦萨圣母百花大教堂成功地实验了圆顶结构，开创了欧洲圆顶建筑新的历史。米开朗基罗承继布鲁内莱斯基的精神，试图在梵蒂冈教皇所在地的大教堂上置放一个有宇宙象征意义的圆顶。

设计工作大约从一五四七年开始，米开朗基罗首先延续了布拉曼特底层“对柱”的形式，以一对一对高大的圆柱，加上科林斯式向上的莨苕叶柱头装饰着圆顶的底座，

卡比托利欧广场

罗马的卡比托利欧广场如花瓣一层一层向外扩张。

感觉起来这些柱子不只是装饰，而且有着承担圆顶重量的结构功能，统一了整个建筑风格，也加强了圆顶的崇高权威象征。

米开朗基罗在一对一对石柱之间开了长方形的窗，使教堂内部的采光依照日照的时辰角度变化，这些采光的功能也延续在圆顶本身，圆顶的球状空间上排列三层圆拱形的天窗，在外部视觉上减低了圆顶量体的沉重感，在内部使天窗的光突破圆顶密闭的黑暗，形成一种光的秩序。

这个圆顶设计大约在一五六一年，米氏八十六岁时完成了木质模型，圆顶之上还添加了一个高耸的尖形塔顶，像一顶高高的帽子，提升了圆顶向上的力量，也在罗马梵蒂冈神圣的天际线树立了永恒不朽的信仰标志。

经过上百年建筑的大教堂，因为米开朗基罗的圆顶设计，使整幢建筑有了完整一致的美学统一性，五百年来一直是人类历史最重要的纪念性建筑。

在米氏一五六四年逝世后，十六世纪九十年代圆顶曾经由另一位建筑师德拉·波尔塔（Giacomo della Porta）整建，圆顶形式略作修正，但与米开朗基罗基本设计的精神是一贯的。

米开朗基罗在建筑上还承接了一些不同的案例，像圣乔凡尼教堂（San Giovanni dei Fiorentini），像庇护城门（Porta Pia），但可能没有能超过他在圣彼得教堂大圆顶上为自己树立的不朽形象。在他垂垂老矣的八十岁以后，许多心血花在建筑设计上，好像他需要更大的造型计划来表现他在视觉艺术上的野心，建筑显然比雕刻更具挑战难度。

圣彼得大圆顶高耸在天际，像米开朗基罗最后的纪念碑。

圣彼得大教堂圆顶（内部）

圣彼得大教堂设计图

改建圣彼得大教堂圆顶是米开朗基罗晚年的重要工作。

圣彼得大教堂

罗马梵蒂冈圣彼得大教堂的圆顶成为世界性的符号，米开朗基罗使成千上万的人到这里瞻仰崇高与庄严的意义。

最后的《哀悼基督》

二十三岁，年轻的米开朗基罗曾经雕刻过“哀悼基督”，为自己的信仰受苦刑，为自己的信仰而死，耶稣的尸体从十字架上卸下，躺卧在母亲怀中，充满了爱与悲悯的作品。

二十三岁的米开朗基罗的《哀悼基督》为他赢得了举世盛名。

然而，才二十三岁，生命刚刚开始，他理解的殇痛如此美丽，耶稣躺卧在圣母膝上，如同一对恋人。

“哀悼基督”是米开朗基罗艺术的最初主题。

经过五十年，过了七十岁的米开朗基罗，在步入衰老病痛的岁月，觉得距离死亡愈来愈近， 他重新省视自己青年时的作品， 青春的华美仍然如此使人赞叹， 但是垂垂老矣的艺术家知道“死亡”是多么沉重的主题。

他想到自己的死亡，自己的墓地，自己一生的爱与美的追求，都将一起埋葬的地方。

他似乎想为自己雕刻一座墓碑，一个苍凉的记忆。

“死亡”似乎是重回生命的原点，重回青春时的主题，却有了完全不同的理解。

米开朗基罗有四件同一主题的《哀悼基督》，第一件是知名度最高的圣彼得教堂的《哀悼基督》，死亡美丽如诗句，如花朵的《哀悼基督》。

第二件《哀悼基督》是置放在佛罗伦萨大教堂博物馆的《哀悼基督》（*Bandini Pietà*）。

耶稣的尸体从十字架上卸下，圣母用双手和膝盖努力支撑着尸体，母亲似乎无法接受自己孩子的死亡，她要这肉体站起来，用脸颊紧紧贴近孩子的头，仿佛要把自己的体温传送给冰凉的尸体，她要那肉体复活，站起来！

然而那肉体站不起来了，上身的重量重压在腿上，腿被压弯了，没有一点支撑的力量。

死亡这么沉重，一旁的玛德莲也搀扶不起这身体的重量。

佛罗伦萨《哀悼基督》 1555

七十岁的米开朗基罗，再度回到“哀悼基督”主题，逼近死亡，他的作品有了对生命的悲悯。

在《哀悼基督》的顶端，一个戴头巾的男子，无限悲悯地俯看着这死亡的场景。

这个男子是谁？历来学者众说纷纭，有人说是最后埋葬耶稣的尼歌德慕（Nicodemus），也有人说是帮助埋葬的约瑟夫（Josef），这两人都只是传说中的人物，没有实际证据可以查考。

也有人指出这个人物的面容酷似米开朗基罗自己。

如果这是艺术家准备置放在自己墓地的作品，这件作品也就是他为自己唱的“挽歌”，如同音乐家为自己写作的“安魂曲”。

米开朗基罗凝视着死亡，圣者的死亡，修行者的死亡，为一生信仰完成的死亡，也是他自己的死亡。

他的一生像一种殉道，是另一种形式的“哀悼基督”。

作品中保留了大量粗犷的表面，未经修饰，尤其是圣母的部分，长期被认为是“未完成”，却更显示出创作者表现死亡的沉重与朴素特质。

第三件《哀悼基督》被称为帕莱斯特里那《哀悼基督》（*Pietà from Palestrina*）。

有学者怀疑过这件作品的可靠性，目前存放在佛罗伦萨美术学院，就在《大卫》像旁边。

比上一件《哀悼基督》少了一个人，圣母与玛德莲在两侧扶着耶稣尸体。尸体的重量好像更沉重了，一只不合理的、巨大的手，从耶稣的腋下支撑着尸体的重量，那是圣母的手，只有母亲的手可以这么巨大，在孩子的死亡时刻，似乎以命令的姿势要

帕莱斯特里那《哀悼基督》 1547—1555

《哀悼基督》里母亲凝视自己孩子的死亡。

尸体复活，要这往下垮的身体站立起来。

耶稣的身体变形得很厉害，上身庞大宽阔，好像有千钧的重量，下肢却瘫痪无力，萎缩成枯枝一般。

圣母的脸，凝视着耶稣，只是粗粗雕过的刀斧的痕迹，只是一种被泪水模糊的脸，没有任何世俗的美丽可言，但是充满了压抑含蓄的悲剧力量。

米开朗基罗最后一件《哀悼基督》现存米兰史佛萨古堡。

据当时人记载，一直到他死前一天，还看到他拿着锤凿敲打石块，石屑溅迸，石上一刀一刀三指宽到四指宽的凿痕。

米开朗基罗最后七八年，常常在信中谈到自己一身病痛，排尿困难，上下楼梯都难以行动，到了最后一年，连写信都有问题，常常口述由朋友代笔。

然而，他最后的《哀悼基督》仍然如此饱含生命的强度。

这是《哀悼基督》，最后一件《哀悼基督》。

米兰《哀悼基督》 1563—1564 修改

玛德莲不见了，只剩了两个人体——耶稣和母亲紧紧依靠在一起。

这件作品当然是“未完成”，带着创作者最后的修改痕迹。

作品从左侧看留着一只敲断的手，耶稣的手，显然，他把宽阔的尸体修成瘦长，但是，那只手留在那里，好像存在的另一种证明。

细瘦的身体好像不再沉重，解脱了肉体的负担，背负着母亲一起向天上飞起。

沉重的肉体在死亡之后真的有救赎的可能吗？

圣母好像背在耶稣背上，但是从右边看，圣母站在较高的位置，努力用大腿的力量托住耶稣的臀部，想用全身的力量把下坠的尸体托起来。

沉重与飞升，死亡与救赎，肉体与灵魂，在这件“未完成”的作品中达到惊人的一致性。

一五六四年二月十八日，米开朗基罗结束他将近九十岁的生命，结束他长达七十五年的创作。他写下最后的遗嘱：

灵魂交给神

肉体交给大地

物质交给亲属

不多久，他的遗体从罗马送回故乡佛罗伦萨，埋葬在他童年住处的圣塔克罗齐教堂。

附录 | 年表

1475 三月六日生于意大利中部阿雷索（Arezzo）的卡普雷斯（Caprese）村。父亲老多维克·比奥纳罗帝（Lodovico Buonarroti）是地方上的法律公证人。出生不久全家迁居至佛罗伦萨，因为长兄大他十六个月，尚在哺乳，母亲便将他交给奶妈抚养，养父是塞提纳诺（Settignano）地方的石匠。

1482 波提切利创作《维纳斯的诞生》与《春》。

1483 拉斐尔诞生于乌尔比诺。

1487 在佛罗伦萨进入基尔兰达约（Domenico Ghirlandaio）工作室学习绘画、雕塑，停留时间不久。

1489 进入美第奇家族在圣马可修道院的人文学园，大量接触古代希腊罗马雕刻的精品收藏。

1491 创作完成《阶梯圣母》。

1492 创作《战斗》，美第奇家族的洛伦佐逝世，他的人文美学影响米开朗基罗一生的创作。

1494 离开佛罗伦萨，前往威尼斯及博洛尼亚。佛罗伦萨发生政变，美第奇家族被放逐，由多米尼加修会的苦修士萨伏那洛拉（Fra Girolamo Savonarola）统治四年，反对古希腊的异教文化。

1495 回到佛罗伦萨，雕刻《施洗约翰》及《沉睡爱神》，两件作品皆佚失。

1496 前往罗马，雕刻《酒神》。

1497 八月二十七日签约制作第一件《哀悼基督》。

1498 萨伏那洛拉在佛罗伦萨被处火刑。

1500 《哀悼基督》完成，置放于圣彼得教堂。

1501 回佛罗伦萨，接受委托为佛罗伦萨市政广场雕刻《大卫》像。

1503 签约为佛罗伦萨大教堂制作十二门徒像，但仅完成《圣马太》一件。
朱利叶斯二世继任教皇。

1504 《大卫》像完成，置放在市政厅门口，成为佛罗伦萨的地标。
与达芬奇共同接受委托，制作《卡西纳战役》图。

1505 接受朱利叶斯二世委托，开始巨大的皇陵计划。

1506 与教皇冲突，潜回佛罗伦萨。布拉曼特设计圣彼得大教堂。教皇朱利叶斯二世征服博洛尼亚，米开朗基罗奉命前往谒见教皇致歉。

1508 回到罗马，开始西斯廷礼拜堂《创世纪》壁画工作。
拉斐尔同一时间也为教皇在梵蒂冈制作壁画。

1509 教皇发起康布雷同盟（Cambrai）征服威尼斯。

1512 十月完成西斯廷礼拜堂《创世纪》壁画。美第奇家族重掌政权。

1513 朱利叶斯二世去世，陵墓计划完成《摩西》像、两件《奴隶》像（现藏卢浮宫）。
出身美第奇家族的利奥十世继任教皇。

1514 签约制作《背十字架的基督》(《复活的基督》)像。

布拉曼特逝世，拉斐尔继任圣彼得教堂建筑总监。

1516 哈布斯堡王朝查理五世继任西班牙国王。

1517 德国地区开始宗教改革运动。

1519 达芬奇逝世于法国安布瓦兹。

开始美第奇家族礼拜堂设计。

1520 美第奇家族陵墓计划开始。

拉斐尔完成《耶稣变容》，不久逝世，年仅三十七岁。

开始制作《囚》。

1523 美第奇家族的克莱门特七世继任教皇。

1524 开始设计佛罗伦萨美第奇家族图书馆。

1525 西班牙查理五世打败教皇联军，教皇被囚禁。

1526 教皇同盟(Cognac)形成，教皇与佛罗伦萨、法兰西、威尼斯、米兰组成联军，共同对抗查理五世的西班牙军队。

1527 美第奇家族从佛罗伦萨逃亡，米开朗基罗中止美第奇家族教堂工程，罗马被军队劫掠，许多艺术家逃亡。

1529 米开朗基罗接受委托，担任佛罗伦萨城防职务，九月二十一日突然出走，逃到威尼斯，为费拉拉(Ferrara)公爵绘画《丽达(Leda)与天鹅》，教皇与查理五世缔结和约。

1530 查理五世攻陷佛罗伦萨，教皇克莱门特七世在博洛尼亚为查理五世加冕。

1531 美第奇家族重新执政。

1532 米氏签订朱利叶斯二世皇陵计划新合约。

1534 完成《胜利》像，米氏赴罗马，克莱门特七世逝世，保罗三世继任教皇。

1536 创作《最后的审判》壁画，瑞士卡尔文教派兴起宗教改革运动。

1540 完成《布鲁特斯（Brutus）》像。

1541 完成《最后的审判》。

1545 雕像置放于圣彼得镣铐教堂的朱利叶斯二世陵墓上。

1546 米开朗基罗接任圣彼得教堂总建筑师职务，开始设计大圆顶。

1547 米兰《哀悼基督》（Rondanini Pietà）开始工作。
最知己的朋友维朵利亚·科罗娜逝世。

1550 佛罗伦萨《哀悼基督》（Bandini Pietà）开始工作。

1564 二月十八日逝世于罗马。

附录 | 重要作品列表

1491—1492

战斗

意大利佛罗伦萨

米开朗基罗之家

P.029

1491

阶梯圣母

意大利佛罗伦萨

米开朗基罗之家

P.093

1496—1497

酒神

意大利佛罗伦萨

巴杰罗美术馆

P.031

1498—1500

梵蒂冈《哀悼基督》

梵蒂冈

圣彼得大教堂

P.027

1500

耶稣下葬

英国伦敦

国家画廊

P.108

1501—1504

大卫

意大利佛罗伦萨

美术学院

P.033

1503

圣家族

意大利佛罗伦萨

乌菲齐美术馆

P.122

1503

圣母圣婴浮雕

意大利佛罗伦萨

巴杰罗美术馆

P.124

1503—1505

圣母圣婴浮雕

英国伦敦

皇家学院美术馆

P.125

1503—1505

布鲁日圣母

比利时布鲁日

圣母教堂

P.127

1503

卡西纳战役

意大利佛罗伦萨
韦基奥宫（市政厅）
P.130–P.131

1504

圣马太

法国巴黎
卢浮宫
P.138

1508—1512

创世纪

梵蒂冈
西斯廷礼拜堂
P.004–P.007

1513

垂死的奴隶

法国巴黎
卢浮宫
P.037

1513

被捆绑的奴隶

法国巴黎
卢浮宫
P.178

1515

摩西

意大利罗马
圣彼得镣铐教堂
P.039

1519—1533

朱利亚诺之墓

意大利佛罗伦萨
美第奇家族陵墓
P.064

1519—1534

洛伦佐之墓

意大利佛罗伦萨
美第奇家族陵墓
P.045

1521—1534

圣母圣婴

意大利佛罗伦萨
圣洛伦佐教堂
P.199

1523

囚——青年

意大利佛罗伦萨
美术学院
P.048

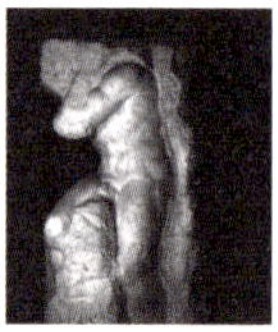

1523

囚——巨人

意大利佛罗伦萨
美术学院
P.048

1523

囚——苏醒

意大利佛罗伦萨
美术学院
P.049

1523

囚——负重

意大利佛罗伦萨
美术学院
P.049

1530—1534

胜利

意大利佛罗伦萨
旧皇宫广场
P.203

1532

提提俄斯

英国
皇家收藏
P.206–P.207

1532

伽倪墨得斯（摹本）

私人收藏

P.210–P.211

1533

美第奇图书馆

意大利佛罗伦萨

P.231

1536

最后的审判

梵蒂冈
西斯廷礼拜堂
P.214

1555

佛罗伦萨《哀悼基督》

意大利佛罗伦萨
大教堂博物馆
P.051

1563—1564 修改

米兰《哀悼基督》

意大利米兰
史佛萨古堡
P.055

图书在版编目（CIP）数据

蒋勋谈米开朗基罗：苦难中的巨人 / 蒋勋著. -- 北京：北京联合出版公司，2018.5（2018.12重印）
ISBN 978-7-5596-0073-8

Ⅰ. ①蒋… Ⅱ. ①蒋… Ⅲ. ①米开朗琪罗(Michelangelo, Buonarroti 1475-1564) - 人物研究 Ⅳ. ①K835.465.72

中国版本图书馆CIP数据核字（2018）第039671号

著作权合同登记号：01-2014-7819
本书由作者授权出版

蒋勋谈米开朗基罗：苦难中的巨人
作　　者：蒋　勋
总 发 行：北京时代华语国际传媒股份有限公司
责任编辑：孙志文
封面设计：所以设计馆
责任校对：杨典雅

北京联合出版公司出版
（北京市西城区德外大街83号楼9层　100088）
北京盛通印刷股份有限公司印刷　新华书店经销
字数200千字　710毫米×960毫米　1/16　17印张
2018年5月第1版　2018年12月第2次印刷
ISBN：978-7-5596-0073-8
定价：99.80元